大规小矩

郁伟年 著

宁波出版社

图书在版编目(CIP)数据

大规小矩 / 郁伟年著. — 宁波：宁波出版社,2019.6
（2020.10 重印）

ISBN 978-7-5526-3571-3

Ⅰ.①大… Ⅱ.①郁… Ⅲ.①礼仪－文化研究－浙东
Ⅳ.①K892.26

中国版本图书馆 CIP 数据核字（2019）第 106215 号

大规小矩　　郁伟年　著

封面题签	吴永良
插　　画	何业琦
责任编辑	俞静娴
责任校对	黄　薇　李　强
封面设计	王泽闻　黄甜甜
内文排版	金字斋
出版发行	宁波出版社（宁波市甬江大道1号宁波书城8号楼6楼　315040）
印　　刷	宁波美达柯式印刷有限公司
开　　本	710mm×1000mm　1/16
印　　张	11.25
字　　数	125千
版　　次	2019年6月第1版
印　　次	2020年10月第2次印刷
标准书号	ISBN 978-7-5526-3571-3
定　　价	39.90元

宁波出版社版权所有，侵权必究。

序

我们的日常生活,包括衣食住行、婚丧喜事、生日节庆等都有不少讲究、不少忌讳,有时还要举行一些或隆重或简单的仪式。这些讲究、忌讳、仪式就是世代流传的规矩,它们规范着人们的思想和行为,成为维系社会秩序、传承中华文明、构成民风民俗的重要文化基石和道德基础。这些所谓规矩,多数并不见诸文字,而是通过代代相传、口口相传、长行幼效流传下来的。正如生在英国的人从小就会说英语,生在中国的人从小就会说汉语一样,长在一个民族、一个地方特有的道德教化环境和民俗环境里的人,耳濡目染,很早便懂得了该民族、该地方传统道德所要求的普遍规范,包括什么该做,什么不该做,见到什么人该怎么称呼,用什么礼节,遇到事情按什么样的顺序去办,甚至什么场合讲什么话,等等。这就是书面上经常说的,内化于心,外化于行。

我小时候,母亲经常教导的几句话,虽然讲的都是小事情,但至今记忆犹新。一句是"饭米碎"要吃干净,不能漏了。吃完饭,饭碗里不能留一粒米饭,体现的就是"谁知盘中餐,粒粒皆辛苦"所表达的对劳动的尊重和勤俭节约的持家理念。一句是敬惜字纸。有字的纸不要乱扔,要妥善保管,体现的是对知识的尊重和敬畏。再一句是用膳时要等人齐了一起吃,尤其是大人没吃,小孩不能先吃。这体现的是长幼尊卑的社会秩序,核心是要尊重长辈,孝敬父母。

这些点点滴滴贯穿于生活细节中的规矩习俗,渗透到中国人的血液中,如同积土成山,涓流成海,成为中华优秀传统道德文化的重要组成部分。其所包含的助人为乐、诚实守信、坚守正道、尊重自然、虔诚勤勉、敬业奉献、孝老爱亲等大规小矩,虽历经千年,仍然具有道德教化的力量,需要一代代继续传承弘扬。

宁波历史文化积淀深厚。在中华道德文化的大熔炉里,宁波人民创造了许多独具特色的风俗习惯,形成了不少符合宁波地域特征和宁波人集体性格的公序良俗。把这些符合社会主义核心价值观的优秀传统道德文化挖掘整理出来,使之广泛地传播,为更多的人所了解和继承,以助推整个社会崇德向善、见贤思齐,进一步培育时代新风,正是出版本书的目的。

作 者

2018年9月

目 录

001 / 序

001 / 敬神敬佛敬祖宗

009 / 敬天崇文尚节俭

019 / 动土上梁迁移安灶

026 / 合卺之礼

036 / 弄璋弄瓦

042 / 孝道

051 / 辈分与称呼

057 / 丧亲之痛

066 / 贤妻良母

075 / 交友之道

082 / 为客之道

090 / 做客不能"烂屁股"

092 / 见人要预约

095 / 七不留宿八不留饭

097 / 饭点时要留客吃饭

099 / 吃规

111 / 尊重别人的饮食习惯

C O N T E N T S

114 / 使用筷子的禁忌

118 / 送礼之道

132 / 菊花不送人

135 / 米缸没米要说满

137 / 别当着别人的面打骂孩子

139 / 夫妻吵架不劝架

142 / 问岁数有学问

147 / 建房要留三尺缝

150 / 别对着和尚骂贼秃

152 / 与女士打交道不要太随便

155 / 不打听别人的收入

157 / 用过的东西要放回原处

159 / 不说过头话

161 / 正规场合不能撸袖子

164 / 打喷嚏要捂嘴

167 / 不能用手指指人

168 / 量力而行不逞能

171 / 后　记

敬神敬佛敬祖宗

中国民间对神、佛的敬仰不仅停留在精神方面,更是渗透到日常生活之中,一年四季几乎都有敬神敬佛的日子和活动。这些活动既是宗教信仰的体现,又是为了祈福保平安。而且民间还有一个奇特的现象,就是释道不分,只要有出处、对人有帮助,不管是神、是佛,都加以崇拜、加以供奉。宁波民间崇拜的神、佛众多,不仅有佛教里的如来、观音、弥勒等众佛菩萨,还有道教的玉皇大帝、太上老君、灶神以及民间俗信中已化作神祇的历史人物关羽、尉迟敬德等。

初五请财神

请财神当然是希望自己家里财源滚滚、金玉满堂。有关财神的传说可不少,其中之一是说财神有五位,叫五路财神。他们分别为中路财神玄坛元帅赵公明、东路财神招宝天尊萧升、西路财神纳珍天尊曹宝、南路财神招财使者陈九公、北路财神利市仙官姚少司。虽然不知道这五位财神的生日是否在同一天,但民间把正月初五定为财神的生日。那天子时,做生意的、想发财的,都会在自己家的堂屋里朝南摆上一桌酒席,为财神贺生辰,为自家求财富。请财神的供品荤素均可,水果、干果也要放上几盘,香与烛是必不可少的。待时辰一到,点起香烛,跪地下拜,口中念念有词:"希望财神光临我家,让我家生意兴隆、财源广进。"祭拜完毕,便到门外燃放爆竹、迎接财神下凡。于是,各家各户便传出了"噼里啪啦"的声响,一时星火满天、震耳欲聋。据说,祭祀过财神,这一年便会发了。可是谁也说不清,今年生意不顺是不是财神没有光顾自己家。

黎芎有语

有人说中国人没有信仰,理由是中国人什么都信,信什么都为了有回报,而且要投资少,见效快。为了不排队,中国人给神仙们分了工,三教九流,五行八作,每个下位类都有专职神仙。中国人信的神仙虽多,但最恭敬的还是财神爷,这也许跟"穷怕了"以及社会福利制度严重不完善有直接的关系。因为恭敬,就特怕恭敬错了,于是只要听说哪位爷曾经在财神的岗位上挂职锻炼过,不管现在从事什么行当,一律当财神供着。结果这财神的队伍日益壮大,到现在谁也说不清到底有多少位了。

因为我国幅员辽阔、各地间交通不便,各地请财神的日子也不尽相同。北方大抵在正月初二,南方大多是正月初五,也有认为农历七月廿二是财神爷生日而点烛敬香、大摆酒席的,说有很多旺运开运的讲究。虽然请财神的日子不同,但这一天一律是鞭炮齐鸣、天摇地动的。我常想,这烟熏火燎、惊天动地的场面,会不会惊扰到本想下凡的财神爷呢?

清明祭祖

清明节是中华民族纪念先祖的传统节日。清明前后,人们会举行一系列的活动,如祭祖扫墓,表达自己的思念和敬意,有慎终追远、传承光大之意。按照宁波习俗,清明前几天要择日在家里摆上一桌酒菜,祭奠先辈。这桌酒菜要注意几点:一是桌子应直向放置。供桌一般是方桌或长条桌,以放桌子的房间为依据,长条桌的长边与房间纵向平行的为直向,方桌则要看桌子的木纹,木纹走向与房间纵向平行的为直向。二是菜肴数量为单数。以七碗为基数,九碗、十一碗、十三碗均可,以十一碗为多。三是荤素搭配。鱼肉蟹虾、青菜毛笋均可,但豆腐、黄豆芽是必须要有的。四是酒盏、筷子要放十二套,分置于桌子的三边,每边凳子要放两把或四把。五是香烛不可少,重要的是还得准备锡箔元宝和念经时点过红点黄点的经纸。纸钱主要是送给祖先的,也要留一些分别烧给他们的邻居和管理他们的鬼官,希望邻居和鬼官们得了好处能给予祖先关照。

最热闹也最揪心的是在清明时节的坟头上。那儿大,不管是在外地

还是在本地,只要有亲人的坟墓在,大多数人都会赶过来,寻根祭祖。从天尚未露白开始,一整天,山坡上都是人头攒动。人们找到自己亲人的坟墓,放祭品、点香烛、烧纸钱、去杂草、加封土、献花圈,寄托深深的哀思。如果是亲人去世的头年,祭奠仪式更加复杂:上坟必须连续三年在正清明的凌晨进行,坟头的供桌上要像家里祭奠一样摆满供品,有菜有肉有酒。悲痛尚未过去的,会在坟前再次哭出声来,让旁边的人听了也不胜唏嘘、眼泪汪汪。

七月半敬鬼神

农历七月是传说中的鬼月。传说每年的这个月,关在地狱里的鬼魂都会被放出来,就像监狱里的犯人的放风时光,有了短暂的自由。这段时间,鬼魂会到处游荡,找吃、找玩、找替死鬼,所以大人们会提醒孩子农历七月的晚上不要出去玩,如不得已要外出,则要想办法早点回家,避免冲撞了鬼神,给自己带来灾祸。为了对鬼神表达敬意,习惯上农历七月十五前后要做一次"羹饭",招呼自己家族的亡灵和其他的鬼神一起享用。羹饭的菜肴品种及仪式与清明祭祖大同小异。但有一点需要注意,就是摆羹饭的时间,虽说是十五前后,但前和后有很大差别。据说十五前做羹饭,鬼神享用后可以饱一年,十五后做只能饱半年。因此,绝大多数人家在七月十五之前就安排做羹饭了。

七月三十敬地藏

农历七月三十是地藏王菩萨的诞辰。浙东一带每家每户都以插地藏香、点蜡烛的方式进行供奉和祭祀。地藏王菩萨是佛教四大菩萨之一,他曾发愿要救度罪苦众生,尤其是地狱众生,"众生度尽,方证菩提;地狱未空,誓不成佛"。所以,民间传说,地藏王菩萨有管理鬼神的职责。在鬼月的最后一天,他要将游荡在人间各个角落的鬼魂收归地狱再度教化。人们为了帮助他完成这项任务,便到处点香。鬼怕火,见到无处不在的香火,便无处躲藏,就乖乖被收回去了。

农历七月三十那天晚上,各家门口都会有人拿着一束香,用火点了,然后在房前、屋后、桥头、路口、路边等处相隔一两尺插上一根,星星点点,煞是好看。小孩子更是喜欢跟在大人屁股后面,抢着插香。

黎芗有语

地藏王菩萨是佛教四大菩萨之一,其道场在佛教四大名山之一的安徽九华山,其化身就是唐代新罗(今韩国)王子金乔觉。每年农历七月三十就是地藏王菩萨的佛会之期。与其他佛事不同,地藏的信仰根植于民间,这缘于中国人对土地菩萨的深厚信仰。很多人尽管不信佛,但还是信仰自己家宅上的地主太太。于是这一天晚间灯烛辉煌,老百姓会进行插地藏香(地堂香)、点狗屎香、放焰口、放河灯等宗教民俗活动。

在地藏王菩萨生日这天用细木屑、砻糠拌油脚,在街口点燃,俗称"点狗屎香"。相传这种习俗产生于苏州,后来传遍江浙地区。据传狗屎香原名叫"九四香","九四"其实是抗元名将张士诚的小名,其谐音叫"狗屎"。

此外,也有将狗屎香放置于大蚌壳上的。江南地区这段时期正好是水蚌肥美的时节,点好狗屎香后放入河中,俗称"放河灯"。过去,农村河道纵横,黑夜中的河灯星火点点,蔚为壮观。

放焰口是道教施食科仪的俗称,即斋主设置水陆道场,请道士念咒施法,把水、食物等供品化为醍醐甘露,赈济九世父母及各类饿鬼亡魂,使之得到超脱,往生天界,永离苦海。庄重肃穆的法事活动,可让神灵认知斋主敬天法祖、报答亲恩的功德,从而保佑生者福寿康宁、吉祥如意,让死者脱离苦海、共涉仙乡。

十二月廿三祭灶

祭灶就是祭灶神,灶神又称灶君、灶君菩萨。传说灶神是玉皇大帝御封的"九天东厨司命灶王府君",负责管理各家灶火,了解掌握各家善恶表现,被视作一家的保护神和玉帝的使者。灶君像供在大灶烟道朝厨房里面的一侧,有木雕泥塑的,也有铁制铜铸的。如果灶比较简单,灶君纸像就被直接贴在烟道壁上了。

腊月廿四是灶君上天向玉帝奏报人间情况的日子,因此各家各户都会提前一天,即在腊月廿三进行祭灶。祭灶仪式非常简单,在灶神像前点上三炷香,倒上一杯酒,放一盆祭灶果就行了。祭灶果由四五种小糕点组成,包括油果、小麻球、冻米糖等又黏又甜的食品,让灶君吃了嘴软,最好是被粘住了嘴,在玉帝面前说不了住家的坏话,祭灶的目的也就达到了。

十二月廿七送年

送年又叫谢年,祭的是福利神。送年有两个目的:一是感谢神灵在过去一年对百姓的保护;二是祈求新的一年继续得到神灵保佑,风调雨顺,平安有余。

宁波民间送年时不仅祭祀神灵,还要祭祀祖宗。记得我小时候,母亲祭神时,先将两张八仙桌并拢横放,祭品有煮熟的猪肋条肉,熟全鸡,一条眼睛上贴了红纸的活鲤鱼,红糖、食盐各一碟,还有一碗米、一碗粉丝、一摞垒得很高的年糕以及香干、豆腐、桂圆、红枣等。桌子的正前横放着一排酒盏,有七八只。香烛点得旺旺的,然后母亲吩咐我们都去拜一拜。那时候物资比较匮乏,能整出这些东西已经很不容易了。现在有些人家谢年,供品就更多了,光水果就有好几种:苹果、橘子、香蕉、金橘,甚至国外进口的车厘子也放上去了。每种供品上面都贴着一张小红纸,表示吉祥如意。

待酒过三巡,一炷香点完,烧了锡箔元宝,祭神便算结束了。接着重新整理,把桌子横过来,变成直向,开始祭祖。祭祖用的都是熟菜,程式与清明节的羹饭相同,目的是请列祖列宗过年前到家里吃餐饭,祝他们在另一个世界平安,吃得好,有钱用,并保佑家族后代岁岁平安,心想事成。

敬天崇文尚节俭

敬畏自然、尊重知识、崇尚节俭是中国民间的一个优良传统。对此,千百年来不仅官方提倡,民间更是形成了许多相关的没有文字记载但约定俗成的礼俗习惯。这些礼俗习惯也成了中华文明代代相传、生生不息、永续发展的重要原因之一。

尊崇自然

几十年前,中国还是农业社会。农民靠天吃饭,一年收成好坏,要看这一年里是风调雨顺还是灾害频发。因此农家最敬畏的是天道。建龙王庙,祈求旱涝无灾;建土地庙,祈求出产丰厚。敬畏天道,也体现在保护自然上。

一是不砍春柴。春天,山上的灌木长了新叶,呈现蓬勃繁衍之势,这时也是农民柴火比较紧张的时候,有人想偷偷上山斫些嫩柴,补充燃料。但按规矩,此时是禁止斫柴的。春天的一根嫩柴,到秋天可能就是一捆实柴。如果村民看到有人偷柴,不但会加以阻止,而且会严厉地指责,甚至予以处罚。

二是不吃嫩豆。谷雨前后,豌豆、蚕豆已经结荚生籽,但还嫩得很。虽然味道鲜美,但再好吃,农民也不采摘,一定要等到豆子饱满成熟后才开始收摘,这样才能保证产量,吃了也觉得踏实。

三是不食种子。饥荒年份收成不多,农民往往只有半年粮,吃了上顿没下顿,但种子是必须要留的,再饿也不能动种子。如果哪家把种子也吃了,等到第二年播种的时候再向别人去借,轻的会被埋怨一顿,重的便干脆被拒绝了,而且得不到大家的同情。也曾听说,一些地方扶贫时给贫困户送去小羊、小牛让他们饲养,养大后卖了可增加收入。谁知道过了没几天,个别贫困户偷偷地把这些羊崽、牛崽杀了,饱餐一顿,寒了好心人的心,也断了自己的财路。

四是不捕小鱼小虾。捕了小鱼小虾等于吃了明天饭。为了避免误捕,渔民设计的渔网网眼比较大,便于小鱼小虾漏网逃生,不做竭泽而渔之事,为下次捕捞打好基础。现在有些人十分缺德,在小渔船上安装一只电瓶,将电线绑在一根竹竿上,伸进河里电鱼,将河里的大鱼小鱼全部电晕,几次下来,河里就没鱼了,变成一潭死水。十几年前,国家为了保护和恢复海洋渔业资源,在我国沿海各地普遍实行了禁渔期制度,禁止在鱼类繁殖期下海捕捞,目前已取得明显成效。禁渔期结束后,渔民的收获增多,鱼的个头增大,一些濒临绝迹的鱼类开始恢复种群数量,海洋生态逐步得到修复。

> **黎芗有语**

中国是一个多民族、广地域的国家，不同民族、不同地域都有不同的民间信仰和民俗风情。现代科技飞速发展，西方文化不断冲击着我们古老的民俗，但深深烙印在人们心中的民俗依然焕发着光芒。走进民俗文化领域，我们会发现很多老规矩不似我们想的那么简单，它们蕴含着来自民间的智慧之光。今天我们以另一种角度去审视它们，用以增长我们的文化智慧。譬如古人有言："劝君莫打三春鸟，子在巢中望母归。"春天的鸟不准打，因为小鸟正在窝里等着母亲回来喂呢！中国文化讲究天人合一，阳春三月，万物生长，此时正是放生的最好时节。不砍春柴、不吃春鱼其实就是放生，都是慈悲的救赎。

营造、保护居住环境

到一些相对古老的村庄走走，大都会看到村口有一棵遮天蔽日的大树，树龄几百年甚至上千年，几人合抱都抱不过来。宁波农村里，这种古树基本上是香樟树，也有些是银杏树。这些古树成为村民雨天避雨（打雷天除外）、夏天纳凉的好去处，也成了村里的风水树。对古树的保护，村里都有口头的或书面的约定，如禁止在树根旁挖土建房，禁止在树干上挖洞钉钉子，禁止在树枝上晾晒衣服等。正是在一代代村民的保护下，古树才得以年年长新叶、岁岁吐新枝，反过来，古树又成了全村百姓的保护神。

有些村庄挖有人工的池塘，四周砌石，一边有埠头，方便村民淘米洗衣。池塘里的水有的来自地下的泉水,有的则引自山溪水。为了保护水质,村里同样订有村规民约,比如不得在池塘里洗马桶、扔垃圾,定期义务清淤等。这些规矩使池塘水始终保持清澈干净,让村民们代代受用。即使是天然的河流、溪流,村民们也要划出河段,上游洗衣淘米,中段洗衣洗物,下游洗马桶。平原的河道基本上间隔一两年要清淤一次,都是由当地村民义务投工。家里的生活垃圾,也会定期处理,当作有机肥施入农田。

◈ 黎芗有语 ◈

　　司马迁在《史记·礼书》中提到"人道经纬万端,规矩无所不贯,诱进以仁义,束缚以刑罚"。在我看来,司马迁岂止是史学家,亦是法学家、伦理学家,甚至是哲学家。世间万物,莫不有规矩。规矩是道德传统,更是公序良俗。中国人修炼了好几千年,炼成的可不光光是浩荡的版图,还有让百姓安身立命的朴素道理,以及饱蘸着生命智慧的村规民约。老规矩是民众最本能的自我约束和自我教育,它们具体而细致,朴实而有效,在法律管不到地方,默默构筑着人伦信条。村口的大树好生维护着,池塘的清水自觉保养着……每一位成员都按规矩行事,不失礼、不违规,讲情义、重礼节,识分寸、知进退,那或许就是靠谱的生活。

尊师重教

过去人们将教书的人称为先生,将教手艺的人称为师父或师傅。这些人在乡村地位崇高,受到人们的普遍尊重。孩子进私塾或进学堂读书时,首先要对着大成至圣先师孔圣人的画像三叩九拜,再对先生行拜师之礼。学手艺的拜师仪式更为严格。先要拜祭祖师爷,如木匠、泥匠、石匠、伞匠的祖师是鲁班,拜师时要先在鲁班像前进香、进供品,跪地磕头,以获取祖师爷的认可,接着才是拜师父,进礼品。拜师以后,必须终身执弟子礼,所谓"一日为师,终身为父"就是这个道理。过去先生、师父对弟子的要求十分严格,做弟子的贪玩、书没背出、学艺进步不快,不仅会被骂得狗血喷头,还会挨板子,而且还不能还嘴反抗。

学手艺,做学徒,一般以三年为限。三年后满师出山才有资格自己单干。这三年中,徒弟不仅要跟着师父专心学艺,还要承担师父家里的家务劳动,担水、劈柴、打扫庭院、喂猪、烧饭等样样都要干。当然师父、师母也会将徒弟当儿子看待,吃穿都会给予照顾。满师之后,许多徒弟还要由师父带着干几年,但可以领取工钿了。以后每年的传统节日以及师父、师母的生日,做徒弟的都要带着礼物前去拜访,以示不忘师恩。

同样,读书的如果中了举,甚至考取了进士,有了功名,首先要去跪谢恩师的教诲。先生老了过世时,不管你官做得多大,都要以弟子的身份前往吊唁送终。过去民间的一些手工艺和中医世家,为了确保独门手艺不外传,有"传子不传女,传媳不传婿"的家训,一般不对外招收学徒,仅在家族内部代代相传。但这也容易导致手艺失传,比如后代绝户了或独子因病因

祸年纪轻轻过世了,手艺就无法传下去。为此,也有家庭招女婿入赘传承家学的。

敬惜字纸

过去底层百姓家里没有读书人,家庭成员都不识字,所以也接触不到书籍和带有文字的纸张。但人们对知识、文字的尊重,却刻在骨子里,偶尔得到一本书、一张报纸便如获至宝,好好收藏起来,轻易不让小孩子碰到,即使破损了也绝不乱扔。

我小时候,母亲就经常对我说要敬惜字纸。这"敬惜"两字,表达的就是敬重、爱惜的意思。见到一张报纸落地破了,她会很珍重地捡起来,说报纸不能乱扔,罪过罪过,还会将旧书籍、废报纸收拾得整整齐齐地叠在一起。那时,如果有人将废报纸撕了做厕纸,会被臭骂一顿。对知识的尊重,潜移默化地影响了一代代中国人,使中国社会始终文脉不断、人才辈出。

节俭持家

过去农民穷,有余粮、有余钱的家庭凤毛麟角。为了养活全家,父母除了日夜苦干以争取好的收成,勤俭节约变成了生活的普遍准则。小时候,我家和邻居家那种节俭到苛刻的情景,至今仍然历历在目。

一是多吃饭少吃菜。那时,农民家几乎不买猪肉、牛肉和海鲜,下饭菜基本上是田里种出来的新鲜蔬菜,河里、沟里抓来的螺蛳、泥鳅之类以及腌制的咸菜、臭冬瓜、苋菜股等。由于实在没什么荤腥,肚子里少了油水,每个人的饭量都很大,一顿要吃上三大碗才会饱。但为了保证干活有力气,为了孩子长身体时补充一定的能量,饭还是让吃饱的,但碗里是不允许剩一粒饭的,即使饭粒掉到地上也要马上捡起来吃掉。菜的数量有限,这么多人一下子便吃完了。所以,母亲在饭桌上要随时提醒"下饭少吃一眼,饭勒勒咽落去"(宁波方言,意为"饭快扒下去,菜少吃点")。

二是"新三年,旧三年,缝缝补补又三年"。农民很少进城买衣服买鞋穿,丈夫和子女的行头都是主妇一针一线缝出来的。为了节约开支,衣服破了,就缝缝补补继续穿。成年劳动力的衣服和裤子有两个部位特别容易破损。一在肩膀,经常挑担磨损得厉害;二在膝盖,经常起立下蹲容易破裂。所以当时几乎每个下田干活的男人,衣裤的这两个部位都打着补丁。孩子们的衣服遵循的是"新阿大,旧阿二,破阿三"的递次制,也就是大儿子穿新衣服,待其长大穿不上了,交给老二穿,待老二穿上几年,衣服有破洞了,母亲补了以后再让老三穿,所以老三是最吃亏的。可是谁叫老三投胎投得晚呢?

三是鸡毛兑糖。鸡毛兑糖看起来与节俭没啥关系,其实不然。农村现钱少,老百姓花钱一分一厘都肉疼,但一些日常用品又不可或缺,怎么办?就用废旧物资交换货郎担上的小件物品。那时,每家每户都留存着过年时杀鸡杀猪煺下来的毛、鸡胗皮、牙膏壳、废纸盒及破铜烂铁等,等货郎担一到,便纷纷拿出这些旧物兑换针头线脑、木梳、发夹、橡皮筋、小镜子、铅笔之类的用品。看到小孩嘴馋,也有人家换麦芽糖的。一次换下来,缝衣的针线有了,孩子的学习用品有了,女人梳妆的物品也有了,货郎也赚到了钱,真是一举多得。鸡毛兑糖换来的是日常用品,而另一种物物交换是用农产品交换农产品或用木头、石砖换农产品。过去慈溪三北一带是海涂棉区,那儿的农民除了种棉花,也利用自留地或边角地种一些蔬菜、甘蔗之类的作物。冬初收获后,他们将这些农产品装上船沿水道运到平原稻区,换回稻谷、木材、石料等。见到这种船到了河埠头,村民便会端着三五斤大米,或扛着一根用不着的木柱子到河边,与三北人讨价还价,换取甘蔗、雪里蕻、胶菜等,这种互通有无、各取所需的原始交换,在一定程度上弥补了不同农区的农产品不足的缺陷,丰富了农家的生活。

黎芗有语

说到勤俭持家的话题,我想起了犹太民族的一个童谣故事。约瑟夫有件旧外套,已经很破旧了。于是,约瑟夫把外套改成了夹克,而故事也由此变得一发不可收。破旧的用品在约瑟夫的生活灵感和智慧作用下,总是能够"绝处逢生",花样翻新。外套变成了夹克,夹克改成了背心,背心变成了围巾,围巾裁成了领带,领带做成了手帕,手帕又变成了一个扣子。有一天,扣子不见了,于是,约瑟夫把这个故事变成了一本书。

从一件夹克到一粒扣子,一定是一个漫长的过程,这跟我们的"新阿大,旧阿二,破阿三"何其相似!民谣中常常保存着民间文化最日常的,可能也是最重要的智慧和信念,而勤俭持家就是生活赐予所有民族的共同智慧。靠着这样的生活智慧，我们即便是在物资短缺的年代也能够衣遮体、食果腹。

动土上梁迁移安灶

老一辈人思想老派,每遇大事讲风水论凶吉,以求一生顺风顺水,庇荫子孙后代。从现在主流意识形态的眼光看,这些可都是封建迷信。但民间习俗如此,信也罢,不信也罢,并不影响社会风气,把它视作一种个人爱好就行。当然作为党员干部必须坚定理想信念,不能相信这些东西。

动土

修建房屋时,锄头落下翻起第一把土,称为动土。民间相信土地里有神灵,比如存在土地公公、土地婆婆之类,动工挖土时,要避免因触怒土地神而招来灾祸。因此,动土前要依据当年的皇历,选择适宜动土的吉日良辰,准备好供品并举行隆重的祭祀仪式,以求得土地神的宽恕和谅解。具体做法是:动土前先用铜锣或铁器敲打几下,以引起注意,吉时一到,献上若干供品及酒三至五杯、饭两碗、筷子两双,并烧些纸钱。待仪式结束,便可正式动土。选择待建房屋中心点朝东或朝西方向,用锄头或铁铲用力往下挖一尺左右,动土仪式便告完成。

现在政府和企业把建筑物动工仪式演化成了奠基仪式,虽然名称不同,但都有祈求平安顺利的意思。根据我的观察,奠基仪式并不是随意而为,而是有不少讲究。一是确定仪式举办地点。仪式基本上都选择在施工现场进行,奠基的地点按常规选择在建筑物正门的右侧。二是奠基石的选择。奠基石以长条形的大理石为主,上面刻有建筑物名称、奠基日期和"奠基"两个大字。石头的下方还要埋一只密闭的铁盒,里面装的是建筑物的设计图复印件、印有业主以及奠基人姓名的文件等资料,以备后用。三是程序讲究。现场要搭台铺红毯,领导和来宾要站台,要有主持人,现场有发言表态的,有表示祝贺的,有领导讲话提要求的,几个环节,缺一不可。待到冗长的仪式结束,主持人才请领导和来宾来到奠基处共同持铲为奠基石象征性地培土。用于培土的铁锹,柄上要系红绸花,工作人员要为每位培土者送上白手套,培土的站位要预先安排好,突出主要领导的中心地位。官方的奠基仪式比民间的动土仪式要繁复多了,兴师动众,其实大可不必。

需要提醒的是,现在"动土"与"破土"经常被混为一谈。据考查,两个词实则有很大不同。"动土"一般用在阳宅建造上,而"破土"则用于阴宅的修建,所以现在经常说的"某某工程破土动工"是很不妥的。建议以后工程开工说"动工开建",显得更为准确一些。

上梁

上梁就是造房子时安装屋顶最高的一根中梁,是建造过程中最重要的一个环节,"上梁有如人之加冠"。因为重要,上梁被赋予了神圣的色彩和多重含义,有了许多禁忌,增添了不少程式。

首先,梁木要选择粗大壮实,两端粗细均匀,就算年代久远也不会弯曲变形的,就如家之栋梁,永远不会倒下。考究的还要在梁身上涂清漆,防止虫蛀,有些地方还要在梁身上画上八卦之类的符咒,以辟邪制煞,镇宅保平安。上梁要择选吉日良辰,风水先生一般会告诉主人吉日那天月圆或涨潮的时间,建议这个时辰上梁为佳,有合家团圆、财源滚滚之意。上梁前,梁身两端要各系上一块红布。接着就是祭梁仪式了。供桌上要放猪、鱼、鸡、豆腐、香烛等祭品,木匠、泥水匠以及主人要边说好话边敬酒。随着一炷香点完,烧了纸钱,便开始上梁。施工者用绳子将梁拉至柱子顶端,上梁师傅高喊:"上了,大吉大利。"接着按东西向的房屋,梁头朝北,梁尾朝南,南北向的房屋,梁头朝东,梁尾朝西的原则进行安放。梁木两头必须等高。待梁木摆平,下面便燃放鞭炮,以示庆祝。

宁波农村造房还要抛撒"上梁馒头",以祭祀神灵,寓意"屋有梁,家有粮"。上梁馒头多数由前来祝贺的亲戚朋友赠送,数量不限,有送一笼的,也有送好几笼的,馒头是豆沙馅的,面上盖有红印,寓意房主出人头地,生活甜蜜,红红火火。馒头一抛,引得众人一起哄抢,现场气氛顿时变得热闹起来。为了避免晦气冲撞,上梁忌讳有丧在身以及其他不洁之人在场。上梁结束后,主人要办"上梁酒",邀请泥瓦匠、木匠、帮工和亲友邻居吃上一顿,

表达感谢之意,以示喜庆。

搬家

过去社会封闭,居住地相对固定,除了逃荒、做生意、异地做官,人们一生可能都住在同一地方,也只有当了官、发了财才有可能建造新屋搬新家。现代社会随着市场经济的发展,人口迁移频繁,造房买房普遍,搬家也成了家常便饭,有的甚至一生要搬迁好几次。即便如此,人们仍将搬家视作人生大事,花时间花心思花精力来认真操办。

搬家又称入宅,指的是搬入已经落成且完成装修的新宅,又叫乔迁新居。搬家要做的第一件事是择吉日。吉日可以参照皇历,也可以请懂风水的人测算,比如皇历显示2018年5月适宜入宅的吉日有5日、11日、13日、14日、16日、23日、26日,那么搬家就可选择其中一日。定下日子后,就要紧锣密鼓地做各项前期准备了。第一是净宅,将装修后遗留的杂物、灰尘打扫得干干净净。如果房间有异味,还要连续开窗通风;如果买的是二手房,有人还会洒盐水清除旧主人的磁场。第二,要将柴米先行放入厨房,意为入宅以后有吃有喝,生活富足。也可将一些橱柜及家用电器一并先行搬入。第三,入宅当天要先在老宅点火生炉,按现在宁波人的做法,主人一般会亲自拎着点旺的煤球炉,先于别人进入新宅放到厨房,寓意家族火种不断、兴旺永续。然后燃放鞭炮,庆祝搬迁,再逐渐将未搬的家什搬进家里。待东西大多放定,主人开始开火做羹饭,室内摆开供桌,放上供品,点香烛,祭神祇,求平安。搬家当天,家里的男女主人必须亲自到场且首先进门,使主人的气场先于其他宾客布满新房;当天家人说话要和气,不能乱发脾气、打骂小孩。有身孕的妇女不能参与搬家,防止动了胎气。当天中午不能午睡,晚上睡觉不能一躺不起,睡下后要起来几次,表示自己会经常起来,遇到挫折不会一蹶不振。晚上灯火要连续三天通宵不灭,以确保房屋气旺而不息。当天厨房必须生火,不能冷灶,可以煮点甜食,让家人共用,表示一家人团团圆圆。搬家后还要择日举办"进屋酒",让亲友们共享喜悦,还要请朋友们经常来家喝茶聊天,让新家人气更旺。

作灶

作灶又称安灶。过去农村用的都是土灶,用砖、石在灶间现砌,尽管现在还有土灶,但江浙一带的城乡普遍用上了煤气灶、电磁灶之类,既节能环保,又大大提高了效率。由于灶为熟食之源,养命之本,灶间在家庭中具有举足轻重的地位。清代赵九峰曾著《阳宅三要》,把灶与门(大门)、主(卧房)并列为"三要",可见其重要性。正因为如此,历来人们对安灶都十分重视,尤其讲究安灶的方位。从实用和习惯的角度来讲,灶位不可向着厕所或靠近厕所,以免晦气影响;灶后忌开窗,否则后面无靠;忌在梁下做灶,这样会压制灶神;灶头不宜接近水池。安灶要择吉日,且当天就应当生火烧食。

安床

在房间里安置睡床卧铺叫安床。由于床铺是人们安睡的地方,也是生育子嗣的场所,所以老底子特别重视安床。

风水学上,安床有许多宜忌。安床方位要与主人的五行八字相符。如主人缺木,宜床头朝东,床尾朝西;主人缺金,宜床头朝西,床尾朝东;主人缺水,则床头朝北,床尾朝南。最忌床位安放在大门口侧面,这是犯了冲。床上不能有横梁,横梁压床容易引起疾病。此外,安床的时间要翻阅皇历,选择良辰吉时,但也因人而异,得与人的生辰八字相匹配。安床与入宅的吉日相冲时,可以错开时间。

安床定当后,还要注意床下。好多人为了利用空间,在床下放了许多东西,其实这种做法对主人的健康很不利。由于床下湿度高,物品容易发霉,久放以后病菌容易滋生并传至床上。因此床下最好不要放物品。

黎芗有语

在百姓的日常生活中,有很多细节与风水相关。比如厨房风水中,灶就是非常重要且一直为百姓所重视的。灶在生活中是烟火人间的朝暮之路,一家人饮食基本都从灶上出来。过去人认为,子孙兴旺与否都与灶有很大的关系。再如,床是日常生活中一件必不可少的重要家具。人有三分之一左右的时间是与床为伴的,人与床有着极其深厚的关系。老底子人们对作灶与安床的重视,其实反映了人们对平安顺遂生活的向往。平安是福的生活理念,在民间风俗中随处可见。

合卺之礼

所谓"卺"就是将葫芦一剖为二后制成的盛酒器皿。结婚时一对新人将卺内的酒一饮而尽,从此合二为一,称为合卺。现代人结婚,再也不用卺了,改为杯盏。喝交杯酒,就相当于喝古代的合卺酒。合卺之礼,也就是现在的婚礼。传统的中式婚礼环节众多,程序复杂,先从定亲开始说起。

定亲

所谓"选亲先择媒",如果媒人之前撮合的婚事成功率高,而且婚姻都美满幸福,那就是现在所说的"金牌红娘",靠谱,需要说媒的人家对其信任度就高。但想撮合男女双方,媒人空口白话说说还不够,首先得将女方

的生辰八字送到男方家，由男方将两人的生辰八字一并送算命先生测算双方八字合不合。如不合，这桩亲事就不再说起；如八字相合，则进入下一个环节，即把双方八字合在一起放在男方家的神龛里加以观察。在一定时间内，双方家庭没有发生不祥的事情，则八字相合；如果这个时期内双方家庭发生了一些疙疙瘩瘩的事情，如某人生了病、受了伤，家里倒了墙、破了财，说明双方的八字还是不合。这桩好事便也到此了结。测了八字后，双方明确了意向，便进入定亲阶段。男女双方家长在媒婆的协调下，会就聘礼的数量进行商量，女方提出要求，男方适当讨价还价，最后定下一个双方均可接受的数量，由男方适时送到女方家。女方收了聘礼后，这门亲事就算基本确定了。为什么说是基本确定呢？因为定亲后，可能双方家庭，特别是男方会有变化，如男方遭受自然灾害，或生意失败，或罢官免职，甚至遭受牢狱之灾，女方为了自己女儿的幸福，或避免受到政治上的牵连，往往会悔婚、赖婚、退婚，并将收受的聘礼和定亲信物全数退还。

订婚

定亲后的一段时间里，双方开始以亲戚相待，走动比较频繁，以相互了解，增进感情，待到条件基本成熟，就举行订婚仪式。日子由男方选定，媒婆将写有订婚日期的帖子送至女方。订婚当日的早晨，媒婆领头，新郎以及几位长辈、兄弟一起，挑着礼担，赶往女方家。女方父母及众人将之引入家中，准女婿郑重地将礼担放在准岳父面前，转达自己父母对岳家的问候，将订婚的有关事项一一告知,并邀请岳父母参加订婚喜宴。至于礼担里装的是什么物什,则因男方的经济条件不同而有所不同,但大多数是吃和用的,如红枣、桂圆、蹄髈、鸡、鹅和布匹、首饰之类。

如今,在东阳、义乌一带,富裕人家订婚还是沿袭传统做法。我见过一次,礼担一头放着现金,一头放着金条、金块、金银首饰,含金量极高。岳家收下礼担后便热情招呼大家入席吃点心。点心无非是汤圆、炒年糕、糕点及瓜果,还要劝来宾稍微喝几口酒。看看时辰不早,准女婿再次邀请岳父母及女方长辈前往男方家赴宴。

旧时准新娘在正式举行婚礼前是不出门见人的,所以也不会参加订婚仪式,现在举行订婚仪式,作为婚姻的主角,两个新人必定是要参加的,否则好像有包办婚姻的嫌疑。订婚宴上,大家一边喝酒一边商量婚礼的相关事项,包括举办婚礼的时间、迎亲的仪式、婚宴的邀请对象、举办的地点等,做到双方认识统一,步调一致。

过去婚礼大多选择在过年前后举行,这与农耕文化有很大关系。过年前后正是一年劳作后的农闲时节,田头活比较少,可以腾出精力操办婚事;年底稻谷等各种农作物已经收获,如果当年收成好,家有余粮,猪肥鸡壮,米酒飘香,举办婚礼就有丰厚的物质基础;过年正是走亲访友的时候,请人参加婚礼比较容易。以上这些因素凑在一起,春节期间便成了结婚的旺季。当然这个时节也不是每一天都适宜举行婚礼,还要请人评估凶吉,算出黄道吉日。按宁波的习俗,年三十和正月初一、初二一般不会安排婚礼,初三开始到正月十五、十六期间,哪天是好日子就将婚礼安排在哪天。还有一个说法就是,"无春年"(农历头一年有闰月,第二年的两头可能都没有立春,宁波人称之为"无春年")结婚不太吉利,最好能够避开。这种说法不靠谱,但也有人相信,碰到这种年份,如果结婚条件具备,一般都会提前到上一年举行婚礼。

迎亲

到了结婚的那天,男女双方都忙开了。

一早,新郎穿戴整齐,在傧相(伴郎)的簇拥下,由轿夫抬着花轿向新娘家进发。伴郎人数要成双,一般为四到六人。被选中做伴郎的还要经过严格的资格审查,要父母双全,人品端正,家里人丁兴旺。富裕人家娶媳妇,轿子的规格和轿夫人数也有讲究,最高礼节是"千工轿",据传那是南宋开国皇帝给江南女子的特殊待遇。"千工轿"由八个人一起抬,人称"八人大轿"。现在轿子已经进了博物馆,迎接新娘普遍用的是汽车,但汽车也有不同档次。条件好的家庭,迎亲车队里有凯迪拉克、宝马、奔驰、劳斯莱斯甚至更高级的豪车。普通家庭用车就参差不齐了。

女方的准备稍微复杂些。首先是发嫁妆,嫁妆包括棉被、箱子、马桶(又称子孙桶)、脚桶、提桶、饭桶、梳妆台、针线盘、衣服、布料、首饰、枕头、床单等。抬嫁妆用的是元宝篮、竹箩等工具,元宝篮里放的是棉被等体积比较大的东西,由两个人抬着走。箩筐里放的是小件东西,由一人挑着走。在我老家慈城,当篮与箩作为抬嫁妆的工具时,统称为"杠"。杠多说明嫁妆多,女方便有面子。为凑数量"挣面子",嫁妆里棉被有好几床,箱子有五六只,包括樟木箱、松木箱、铁箱、皮挈夹(皮箱)等。

嫁妆从女方家启程前,媒人要先行一步。只见她手提一只系着红线绳、生着火的火熜前往男方家,意为将女方家的好运带给男方家,走到半路还要拿出一支香,从火熜里取火点燃,并由跟随之人折返女方家,插入女方家香炉,意为男女两家共同红火兴旺。火熜到了男方家,便马上被送进了新房,放在醒目的位置上。

与此同时,新娘子在母亲和同性前辈的帮助下精心打扮,梳头傅粉搽口红,换上象征喜庆的红衣裳、绣花鞋,等待新郎的到来。母亲还要反复叮嘱女儿到了夫家以后应当注意的事项。说着说着,母女俩伤心起来,眼泪汪汪,一个是不舍女儿出嫁,一个是留恋娘家的温馨,不忍离去,同时也有对今后生活的忐忑。

忽然间,屋外响起了喧闹声和鞭炮声,迎亲队伍到了。小孩子、半大小伙、小姑娘们拦着新郎不让进门,敲起"竹杠",称为"拦轿门"。这时新郎一般不出面,由伴郎与挡道者讨价还价,这些挡道者无非是要些利市,索要一些钱物,目的是制造热闹和喜庆的气氛,也不会漫天要价,出一些小钱便可以摆平了。现在农村人闹新郎时,伴郎们会拿出早已准备好的香烟、糖果加上几百元钱分发,这道坎便过了。新郎进了门,拜见岳父岳母,岳母端出"桂圆甩(音忽)蛋"之类的点心,新郎吃上几口,便坐等新娘子出门了。

新娘子出门前,要先象征性地吃上一碗满满的"上轿饭"。"上轿饭"由福气好的女性长辈端上,并亲手喂新娘几口,寓意新娘一辈子能吃上饱饭,衣食无忧。待一切准备就绪,新娘戴上红盖头,由女伴搀扶着,羞答答地出了闺房与众人见面。就要上轿了,按规矩,新娘的新鞋不能直接踩到地面

上。早就有人在地上铺了几只麻袋（取意为代代相传），新娘轻移莲步，走到门口，便由自己的兄长背在肩上，送入花轿（新娘脚不落地，据说是为了防止娘家的财气被其带走）。这时鞭炮放了起来，吹吹打打的乐器声也响了起来，轿夫们抬起花轿，启程前往新郎家。而另一主角新郎则手扶花轿的抬杠口，充当护花使者。北方的新郎则是骑在马上，跟在花轿后面，脸上洋溢着幸福的微笑，目不转睛地看着花轿，好像生怕新娘突然之间消失了似的。现在有了汽车，发嫁妆、迎新娘就简单多了。

合卺

到了新郎家，照样要吵闹一番才会放新娘进门。放下花轿，新娘由娘家人搀扶着进入新房，端坐在床沿，准备良辰吉时一到就举行合卺之礼。

新房早被布置得吉祥喜庆，门窗上贴着大红的双喜，橱柜的拉手上都系上了红流苏，床上是火红面料的几叠被子，新娘的嫁妆已经整整齐齐地放好。桌子上放着红枣、花生、桂圆、瓜子之类的干果以及苹果、橘子之类的水果，寓意早生贵子、幸福平安。其实，头天晚上新郎就睡在新房里，而且是请了一个童子一起睡的，目的是希望借童子之身让自己也能添个儿子。仪式开始前，男方的一位女长辈会叫来一个七八岁的男孩悄悄地到新房，揭开新马桶盖，取出里面放着的红包，再撒一泡尿，也是寓意新婚夫妇早生贵子。

良辰已到，新郎新娘在众人的簇拥下来到堂屋。接下来便是影视剧里经常出现的场景了。在司仪的吆喝声中,一拜天地,二拜高堂,夫妻对拜,然后夫妻共喝交杯酒。这时司仪高喊礼成,两人永结同心,结为夫妇。接着便到了喜筵开席的时候。新娘被送入洞房,新郎则在酒席上敬酒致谢。现在的婚礼在中国传统婚礼的基础上引入了许多西方的做法,比如新人在台上当众拥抱接吻、互相说"我愿意"、证婚人致辞等。中西合璧的婚礼更加充满浪漫情调。

到了晚上,婚礼进入了另一个高潮,就是闹新房,也叫"吵房"。无论是长辈、平辈还是小辈,男男女女都聚在新房中祝贺新人,欢闹异常,少有禁忌,说是"三日呒大小",越闹越喜庆,而且无论怎么喧闹,新郎新娘都不得发怒、懊恼。现在城市里已经很少有人闹新房了,但在一些农村地区,这种习俗还很流行,有些居心不良之辈借机吃豆腐、耍流氓,凌辱新娘、伴娘的事件时有耳闻。毫无禁忌地闹新房,实在是一种陋习,应当加以改变。

新婚后的第二天早上,新娘起床后的第一件事是向公婆敬茶请安。所谓"茶",里面一般放一匙糖、一粒红枣及几片茶叶。新媳妇还要向公婆敬一盏莲心羹,表达自己孝敬公婆,与夫家心连心的意思。敬茶时,公公婆婆分坐于堂前八仙桌两侧,新媳妇两膝跪地,双手上举,头下垂,恭恭敬敬地先向公公,后向婆婆敬上茶盅。公公婆婆都要象征性地喝上一口,以示接纳。之后新媳妇开始打扫庭院、洗衣、做饭、操持家务。按宁波的习俗,新婚的第二天,新媳妇要偕同夫婿回娘家谢恩,叫"回门"。回门要随带果品点心孝敬父母,当天下午则要回到夫家。婚礼结束后的两三天内,有的地方还要再摆一桌酒席,邀请新娘的兄弟即老舅子、小舅子等,到家里相聚,名曰"贺郎酒"。至此整个婚礼全部结束,新婚夫妇开始正常的家庭生活。

黎芗有语

中国的旧式婚姻延续了几千年,到了民国时期,中西方的思想与文化碰撞,旧式包办婚姻与新潮自由思想共存,使得当时接受了新式思想的文人有了各自的矛盾与抉择。没有爱情,徒有责任的形式婚姻,是否还有坚持下去的必要?不同的人给出了不同的答案。

自由任性的徐志摩选择了挣脱,他不顾结发妻子的深情、不顾世俗的眼光、不顾他应背负的责任,单因为不爱,就离发妻而去。下笔犀利的鲁迅原本是决定与母亲包办的旧式婚姻"同归于尽"的,但奈何上天待他不薄,给他派来了许广平,于是他找到了"温柔乡",只留朱安一人葬身于这场荒唐的旧式婚姻的洪流中。鲁迅面对旧式婚姻,选择了妥协,牢牢困住了朱安的一生。也许,不只是鲁迅困住了朱安,朱安自己也拴住了自己的双脚。留学西洋的胡适的经历与鲁迅的十分相似,但结果却大相径庭。胡适接受了与江冬秀的包办婚姻,努力去适应这场婚姻,并找到了两人舒服的相处方式,在包办婚姻里也活出了别人看不懂的深情。很难想象,这些处于时代之交的大咖们是怎么走完合卺之礼的全部流程,然后或遗弃、或背叛、或妥协、或凑合的。

弄璋弄瓦

生男为弄璋,生女为弄瓦。典出《诗经·小雅·斯干》:"乃生男子,载寝之床,载衣之裳,载弄之璋……乃生女子,载寝之地,载衣为裼,载弄之瓦。"璋为玉石,瓦为纺车上的零件。生男孩,给他一块玉石玩,希望他有玉之品德,前途无量。生女孩,给她一块瓦玩,希望她将来擅长女红,谨守妇道。弄璋弄瓦寄托了父母对儿子、女儿不同的要求和期望。

女人怀孕,夫家和娘家都欣喜异常,如果是头胎,更是特别重视,双方都为新生命的到来做着各种准备。新生命降临前后,民间有不少习俗和规矩。

催生

在孕妇生产前二十天或半个月,母亲,即准外婆带着准备好的婴儿及产妇用品来女儿家,这叫催生。母亲准备的物品一般有婴儿的内衣内裤、毛衣毛裤、帽子、袜子、鞋子、小棉毯、棉衣棉被和"一口钟"(有帽子的披风)等。母亲把这些衣物用布包成一个包袱,拿到女儿家后,并不直接交给女儿,而是从房门口用力扔向女儿床上,看它落下后的朝向,以此来预测生男生女。如果包袱的口子朝上,意为生男,如果口子朝下,则为生女。这当然属于迷信,但也满足了母亲的好奇心。多数母亲内心还是希望包袱朝上,女儿能生个儿子的。

母亲带来的东西肯定不止这些,还有许多女儿做产要吃的滋补品,如鸡蛋、桂圆、红枣、索面、红糖等,让女儿在月子里充分补充营养。同时,作为母亲还要以过来人的身份向女儿传授经验,讲解生产期间以及婴儿出生后的注意事项。

接生

看着媳妇肚子越来越大,做婆婆的早已落实好了接生婆,接生婆就是一个经验丰富的助产士。过去农村妇女生孩子都在自己家里,由于是土法接生,又没有医疗器械,接生婆对因胎位不正或者羊水不足等引发的难产显得无能为力,产妇和婴儿的死亡率很高,所以过去生产对女人来说是一只脚踏进鬼门关。

接生婆的工具就是一把剪刀。接生时会将剪刀放在煤油灯上煨一煨,权当消毒,用来剪断脐带。我老家隔壁有一户人家,女人很会生育,生后曲两个孩子时,丈夫也不请接生婆,待孩子生下来,自己动手直接用剪刀将脐带剪断了事,便算是接生了。当然这是非常极端的例子。一般家庭,待媳妇肚子开始阵痛,丈夫或婆婆便急忙出门请来预先说好的接生婆,一起请来的还有原先约定的"当值阿姆",又叫"出寨娘",现在叫"月嫂"。两人进入产房,由接生婆主导,开始生产前的准备,其他闲杂人等包括丈夫、婆婆都是禁止入内的。如果顺产的话,用不了几个小时,便会听到"哇"的一声长哭,一个新生命诞生了。接生婆会向门口喊一声"恭喜恭喜,生了个大胖儿子"。早已等候在外的众人便笑逐颜开,欣喜异常,尤其是公公婆婆,笑得嘴都合不拢了。如果接生婆说的是"蛮好,蛮好,生了个千金",众人的脸色就比较平静,甚至还略带失落。但无论生男生女,母子平安是最重要的。待胎盘从母体落下,婴儿洗净包好,接生这个环节便顺利完成了。

坐月子

女人生产后的一个月内必须在房中静养,并哺育婴儿,这叫"坐月子"。刚生过孩子的这间房,宁波人称为"红房",大概是生产时流过不少血的缘故吧。进出"红房"有不少禁忌:一是除丈夫外,其他男子一律不许进,包括未成年的男孩子,说是"红房"里不干净,有晦气,影响男人运气。尽管这种说法没有科学依据,但闲杂人等少进出"红房",对产妇的休息是有好处的,也能减少婴儿感染的风险。二是同性长辈,特别是上了年纪的老太太不要进入,说是要折寿。这个说法尚不知出处,估计也是为了产妇和婴儿的健康着想，找个借口让人家少串门吧。

刚生产完，产妇体力消耗大，身体虚弱，肠胃功能也有影响，因此头一周饮食以富有营养、容易消化、汤汁比较多的食物为主。在宁波农村，产妇大多吃的是红糖索面汤。红糖不仅富含多种单糖和多糖类能量物质，还含有人体不可缺少的核黄素、胡萝卜素及多种微量元素；索面由面粉经特殊加工而成，富含蛋白质及微量的钠、钙。两者一起煮成的汤面，既营养又容易消化，还能暖胃，对产妇的恢复很有帮助。当然桂圆、鸡蛋等也是少不了的。一周以后，产妇吃的东西的种类可以多一些了，鸽子、老母鸡、甲鱼等都是上好的滋补品。如果这时奶水不足，家里的人会让产妇喝鲫鱼汤，而且只放很少的盐。也有用土方催奶的。我姐姐生孩子的时候就吃过蚯蚓索面汤。

月子里最艰巨的任务是哺育新生儿。按宁波的风俗，要先向新生儿的嘴巴里抹一些黄连，然后才开始喂奶。黄连味苦，具有清热去火的功效，吃一点既有先苦后甜的寓意，又有防病的作用。也由于先吃苦的黄连，婴儿再吃其他东西都不觉得难吃，这样的小孩以后不挑食，容易养。过去没有奶粉之类的母乳替代品，如果母亲奶水不足，婴儿因为饿又哭又闹的，家里就用米汤露喂孩子，但这样的孩子明显营养不良，爱哭闹。包裹孩子也是一样很有技巧的活儿。婴儿即使睡着了，手脚也会不由自主地动，为了防止其踢掉衣物而受凉感冒，也为了避免受伤，"当值阿姆"会把婴儿手脚的上端与内衣内裤松松地绑在一起，适当限制他的活动。如果七八岁的小孩很顽皮，手脚不停，大人就会骂他小时候手脚没被缚过。冬春季天气寒冷，还要给其穿上棉衣棉裤，兜上尿布（宁波人叫"尿衲布头"），外面再用小棉毯裹成三角包。尿布要经常换，洗后要在太阳底下晒。过去如果遇到连续阴雨，尿布还要在灶间的火缸上面烘干，哪像现在用纸尿裤这么方便。喂奶也有讲究，不能让婴儿吃太饱，吃奶以后需要在其背部轻轻地拍几下，让奶水落胃。抱的时候将其头部稍微朝上，防止溢奶。

满月

做产满一个月，产妇也养得差不多了，开始恢复正常的生活。条件好的，还要再休息一个月，叫"双满月"，就是要满两个月产妇才开始正常的生活。

满月那一天一般要做三件事。一是为婴儿剃头。有预约理发师上门服务的，也有抱着到邻近的理发店去剃的。给婴儿理发难度较大，婴儿哭着动着抗拒着，大人们则要将其紧紧按住，理发师要轻手轻脚，绝对不能碰伤了孩子。过去都不把剃下的胎发当一回事，现在好多父母都把它收藏起来，有的制成胎毛笔，有的专门加工嵌入有机玻璃瓶内，留作孩子一生的纪念。

二是办满月酒。为了庆贺自己家有了新成员，家境较好的人家都会办满月酒，邀请亲朋好友共同庆贺。满月酒席上，公公婆婆会让儿媳抱着小孙子或小孙女与众亲朋好友见面。众人都要恭维几句，称赞小孩圆头大脸，长得虎头虎脑，俊俏可爱，还要端详一下，说说哪个部位像爹，哪个部位像娘，一边说一边拿出准备好的礼物，如金做的麒麟、镶玉的手镯、银质的项圈、翡翠的生肖等塞到孩子母亲的手里,表示祝福。奶奶或外婆送的长命锁则早已挂在孩子的脖子上了。宁波人见到小孩,并不说"这小毛头好看,很乖",而是正话反说,说"这小毛头介难看""介小就会装意姿"等。孩子的父母亲听到这些话就很开心。

三是过街跨桥。按宁波习俗,满月那天,母亲和奶奶、外婆要抱着婴儿到外面走一圈,尤其是要跨过一座桥,含义大概是让孩子记得回家的路,长大后不忘故土,跨过沟沟坎坎后,从此一生平安,顺风顺水。

取名

其实孩子出生之前有些家庭就已想好了名字,做好了两手准备,生男的叫什么,生女的叫什么。也有生下后再取的。爷爷或族中有文化的长辈是取名的不二人选。过去大户人家都有辈分,取名时,其中一个字要与辈分相符。上面有哥哥的,取名时也要有一个字与之相同,考究的还要根据小孩的属相、出生时的八字与五行的关系以及长辈对孩子的期望等因素来取名。比如八字中缺五行中的某一行,就要在名字里加上相关或相应偏旁的字,补齐五行。取了大名后,有的还要取一个叫起来既亲切又上口的小名,小名一般都取得贱,如阿牛、阿猫、阿狗,说是小名贱的孩子好养活。

孝道

《尔雅》上定义:"善事父母为孝。"从西周首先提出孝的概念,到孔子、孟子、曾子、荀子等历代大儒的诠释,再加上各朝名流的身体力行,各种孝子典型的树立,几千年来,孝道思想体系逐渐完备,成为儒学的重要理论支柱和中华传统道德文化的重要组成部分。孝道维系和调整着中国社会的人际关系,是维护社会稳定的重要精神力量。对孝道我不想从理论层面再加阐述,就单从民间的规矩和习俗上做些介绍。

"孝"字由"老"字头和下面一个"子"字组成,老在上小在下,意思就是做子女的应当孝敬老人。民间对一个人进行道德评价,首先是看这个人孝不孝敬父母。"百善孝为先",一个十分孝敬父母的人,一般来说不会变坏,在乡里的口碑也好。如何做到孝敬?元朝郭居敬辑录了古代二十四个孝子的故事,编成《二十四孝》,从实践层面介绍孝子是如何尽孝的。这二十四个孝道故事分别是孝感动天、戏彩娱亲、鹿乳奉亲、百里负米、啮指痛心、芦衣顺母、亲尝汤药、拾葚异器、埋儿奉母、卖身葬父、刻木事亲、涌泉跃鲤、怀橘遗亲、扇枕温衾、行佣供母、闻雷泣墓、哭竹生笋、卧冰求鲤、扼虎救父、恣蚊饱血、尝粪忧心、乳姑不怠、涤亲溺器、弃官寻母。这些典型集中反映了封建伦理道德,成为封建王朝教化人民的重要工具。二十四孝中有许多做法与现代社会的价值观格格不入,不宜加以宣传。但是,孝作为传统道德,是值得继承和弘扬的。

养亲

"身体发肤,受之父母",每个人都由父母所生,并由父母千辛万苦抚养成人。因此,父母年老丧失劳动能力后,由子女赡养,天经地义。赡养父母不仅要让父母衣食无忧,而且要尽可能改善父母的生活条件,以颐养天年。

过去,农村并无养老金制度,老年人全靠子女供养,所以有"养儿防老"之说,子女特别是儿子越多,老来生活越有保障,所谓"多子多福"。即使儿子们都比较穷,但有儿子在,至少饭是有的吃的。如不少家庭对父母实行"轮饭"制,就是让老人轮流到几个儿子家吃饭。第一个月去大儿子家,第二个月去二儿子家,第三个月再换一个儿子。这种做法尽管有儿子们不想独自承担赡养责任的嫌疑,对老人来说也比较折腾,但总比吃不上饭要强。

现实生活中,不但不养老还视父母为累赘,遗弃、虐待父母的也大有人在。时不时听说,某地某人自己住着富丽堂皇的别墅,却让母亲住在破房子里,也听过子女打骂老母亲,不让母亲吃饭的丑闻。但这些不齿行径往往会受到社会舆论的强烈谴责。

> **黎芗有语**
>
> 小在下,老在上,对父母尽心奉养并顺从,是为孝。对父母奉养尚且不易,顺从更为困难。在农村,不少子女多的家庭里常出现有事找女儿、财物归儿子的情形,最后造成儿子不养、女儿不爽的局面,老无所养、老无所依的悲剧就此发生了!因此,尽孝还得上像上,下像下,老像老,小像小。

敬亲

对父母,不仅要在物质上加以供养,更要尊敬他们,让他们在精神上、心灵上得到慰藉,觉得开心愉悦,而这精神层面的孝常被子女们忽视。子女们往往觉得让老人吃饱吃好、穿暖住好就算尽了孝,很难静下心来陪父母聊聊天、说说工作、拉拉家常,觉得跟老人没有共同语言,讲不到一块儿去。其实精神上的苦闷是老年人最大的痛苦,尤其是失去老伴的,其心灵上的孤独,做子女的很难理解。

现在虽然很难像过去那样到父母面前早晚请安,但与父母多说说话,出门在外多打打电话,节假日经常回老家看看,与老人吃上一顿饭还是应该做到的。特别是过年的时候,子女无论在多远、工作有多忙,都应当带着老婆孩子回到家里吃上一顿团圆饭,为父母做点家务事,并送上满满的祝

福,这可能比给他们一千元、一万元还要令老人开心。歌曲《常回家看看》当年为什么能风靡大江南北并流传至今?因为它表达的就是中华民族传统美德之一——孝。

侍病

做子女的都希望父母健康长寿,骂老人"老不死",希望老人早点去世的毕竟是极少数。但人老了免不了病痛,做子女的除了照顾好老人的日常起居,帮助老人增强体质,一旦发现老人生了病还要及早送医治疗。住院了就要日夜奉侍在旁,子女多的应当轮流值守,子女少的可请个护工守夜。

俗话说:"久病床前无孝子。"老人生病,特别是长期卧床,做子女的烦恼,这很正常,尤其是现在独生子女多,又要工作又要照料生病的父母,的确是个大问题。但再苦再难也要撑下去,请个保姆或请求志愿者短时帮忙也是一个办法。在病人面前还要好语慰抚,不能把自己的烦恼发泄到父母身上。

丧亲祭亲

父母过世是人生的最大悲痛。"如丧考妣"出自《尚书·舜典》:"二十有八载,帝乃殂落,百姓如丧考妣。""考"为父亲,"妣"为母亲,意思就是像死了父母般伤心,极言悲痛之烈。父母过世,悲从中来,是切肤之痛,入骨之痛。

丧亲后,首要任务就是办丧事。向亲戚朋友发丧讯,请人念经超度亡灵,选择墓地、做坟等一整套丧仪都要安排周全。做子女的总希望通过把丧礼办得庄严隆重,来告慰父母在天之灵。

"祭亲"就是父母死后的祭祀仪式。宁波祭亲是从人去世后做"头七"开始的,一直做到"七七"。老人去世后头三年的正清明,家人都要在清晨到坟头上香、烧纸钱、摆羹饭,孝顺的儿女到了坟头会泪流满面,止不住地号啕大哭,让人十分心酸。以后每年父母的生日都要祭奠一次,名为做阴寿,清明节要到坟头除草、加土、上香、烧纸。农历七月半和过年前还要摆一桌羹饭,点上蜡烛与清香,进行祭祀和缅怀。这就是慎终追远,不忘自己的根所在。

黎艿有语

随着一次又一次文化上的"革命",好些民俗也正在渐渐淡化,有些甚至销声匿迹,譬如"做七"。经常看到一种奇怪的现象,即平时对父母不闻不问、不管不顾的,最后对"做七"最来劲。我外婆曾经说过:活着不照顾,死了死考究,都是做给活人看的。本来祭亲是一件非常庄重的事,一旦有了"做给活人看"的嫌疑,倒是不做也罢。

立身立业

古代士大夫追求的人生最高境界是修身齐家治国平天下,"扬名于后世,以显父母,孝之终也"。意思是说,做子女的要立身立业以光耀门楣、报答父母。父母对子女寄予莫大的希望,子女成就事业,扬名于后世,这是孝的最高境界。

立业首先是立身,立身包含两重含义。一是强健身体。"身体发肤,受之父母,不敢毁伤,孝之始也。"通俗地说,就是要把身体养好,有健康的体魄。二是修身。在古代,即是学习儒家经典——四书五经,学富五车,才高八斗,品德高尚。立业就是要有功名,最好能考上进士,探花、榜眼甚至状元,忠君报国,造福一方。引申到现代也一样,天下的父母都希望自己的子女有出息,在官场的当好官,做企业的能够发展顺利,蒸蒸日上,即使做个普通的工人、农民也能家庭富裕安康。做子女的应当体会父母的苦心,青春年少时把书读好,把德修好。进入社会当公务员的廉洁奉公,服务人民;当工人、农民的把本职工作做好,勤劳致富;办企业的做大做强,富裕自己,报效国家。

以中国核潜艇之父黄旭华为例。他从1958年到1986年,即从32岁到60岁,与老家亲人失联了近30年,父亲和二哥去世,他都没有回家。人们都不知他去了哪里,在干什么。原来他隐姓埋名,在严格保密的环境里默默地为我们国家研制核潜艇,经过几十年艰苦卓绝的奋斗,我国第一艘核潜艇终于在20世纪80年代中期试验成功。至此,他90多岁的老母亲才通过新闻报道知道了她的儿子在干什么,并要求家里的人谅解他。谁不惦记父母？谁不想享受天伦之乐？但为国家做事情的人往往身不由己,所谓"忠孝不能两全",我想像黄旭华这样对国家、对民族绝对忠诚的人,其实才是在精神上对父母最孝的人。

> **黎芗有语**
>
> 中国父母最希望自己的孩子听话、有出息。殊不知,每一个生命都是独立的个体、特别的世界,即便是再乖的孩子,也有不听话的时候,这时候父母往往会认为这个孩子不孝顺。至于有出息,含义就广了,但现在大部分父母也就希望孩子读书的时候成绩好一点、工作的时候升职快一点。如果恰好自己的孩子比较懂得父母的不易及其内心的期盼,头悬梁锥刺股地读成了学霸,却又往往会与父母渐行渐远,甚至离家万里,当父母的也就只剩下精神上的慰藉了!

尊重师长

孝道从本意上讲是对自己父母的孝,但延展开来,还应当包括对其他长辈的尊敬和孝顺。中国社会宗法关系复杂,父系的有祖父母、叔伯婶婶、姑姑姑父及众多的堂兄弟、堂姊妹;母系的有外祖父母、舅舅舅妈、阿姨姨丈及众多的表兄弟、表姊妹。三姑六婆、远亲近眷,有些是说也说不清楚的亲戚关系。

对这些辈分比自己高的亲戚,要有足够的尊重。一是孝敬至亲。爷爷、奶奶、外公、外婆、叔叔、伯伯、姑姑、舅舅、阿姨是至亲,逢年过节,好事大事都应当及时告知,尤其是遇到结婚、生子等喜事,一定要恭请他们参加,以共同分享喜悦。按老派的做法,孙子结婚时,要先向爷爷奶奶磕头谢恩,爷爷奶奶也会拿出红包送给孙子孙媳,祝贺孙子新婚之喜。逢年过节走亲访友时外婆家是必到的,而且还要备上一份厚礼。二是使用尊称。对辈分比自己大的及平辈中年纪比自己大的人,在称呼时应当在对方名字后缀一个体现辈分的称谓。比如比自己大两辈的,应称呼为"××叔公""××叔婆"或"叫大阿爷""小阿爷""大外婆""小外婆"等。对人使用尊称,既让人听了舒服受用,又显得自己有教养。如果直呼其名,人家就会觉得此人"老三老四",没有礼貌。三是济困解难。谁家都有穷亲戚,亲戚总会有困难的时候,如果你有能力,在不违反法律和社会道德的前提下,应尽可能地帮助他们。比如有亲戚读书交不起学费、生病住院、有红白喜事要帮手等都应助一臂之力,以体现亲情和人伦。

辈分与称呼

"君君臣臣父父子子"是中国封建社会等级制度的集中体现,意思是君要行君道,臣要行臣道,父要行父道,子要行子道,各尽职守,不能君臣失位,长幼失序,伦理失常。撇开君臣关系、社会职务的上下级关系不论,单就家族的血亲、姻亲关系来说,维持良好的伦理秩序,对家族的治理和兴旺也是非常重要的。

厘清辈分

中国人的辈分十分复杂,一个大家族有以父系血缘和婚姻关系形成的三代以内直系亲属,如祖父祖母、外祖父外祖母、父亲母亲、妻子、儿子女儿、媳妇女婿、孙子孙女、外孙外孙女等,还有旁系亲属、同姓氏的支系亲属

及姻亲所形成的外戚,所以过去有九族之说。简单的直系与旁系关系,可用下图来示意:

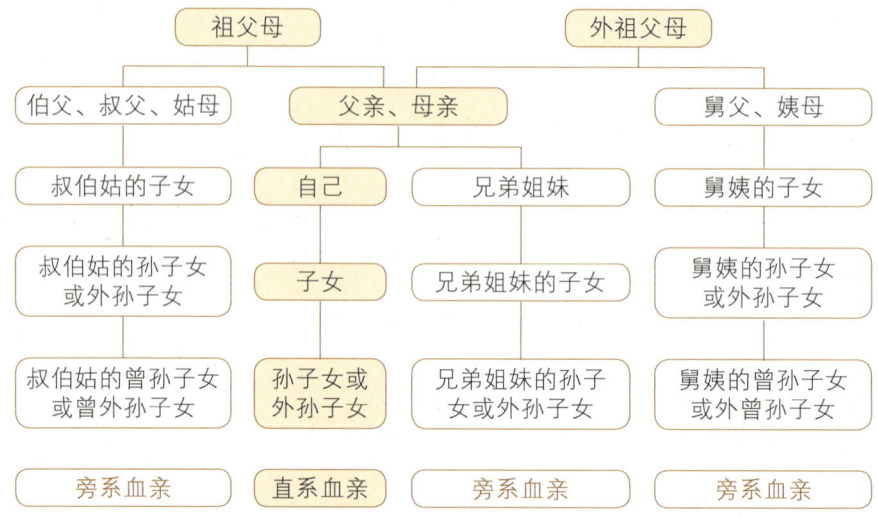

厘清辈分的目的在于找准自己所处的位置,明确自己的职责,做到长幼有序,孝悌在心。

明确亲属关系和称呼

直系亲属间的关系绝对不会搞错,旁系亲属间只要把握好父系和母系,一般也不会搞错。父亲那一系的,与自己同辈的是嫡堂关系,比自己年龄大的称为堂哥堂姐,年龄小的称为堂弟堂妹。有些家族为了显示团结和睦,称呼前是不加"堂"字的,堂兄弟和堂姐妹们按出生年月从大到小排辈,称呼为大哥(姐)、二哥(姐)、三哥(姐)……以此类推。相对应的,堂兄弟的子女是自己的堂侄子女,称自己为堂伯或堂叔;堂姐妹的子女则属姑表亲,是自己的表外甥子女,称自己为姑表舅;表兄弟姐妹的子女属舅表亲或姨表亲,是自己的表外甥子女,称自己为姨表舅。由于20世纪70年代至90年代出生的多数是独生子女,他们对多子女情况下一些亲属之间的称呼不太熟悉,有必要对此做一介绍。

大、小阿爷,大、小阿娘(大、小爷爷,大、小奶奶):祖父的兄弟及配偶。

大、小外公,大、小外婆:外祖父的兄弟及配偶。

伯伯(伯父):父亲的兄长。

阿叔(叔父):父亲的弟弟。

嬷嬷(姑姑):父母亲的姐姐。

阿姑(姑姑):父亲的妹妹。

娘舅(舅舅):母亲的兄弟。

阿姨(姨妈):母亲的妹妹。

阿婶(婶婶):叔父的配偶。

姑丈(姑父):姑姑的丈夫。

姨丈(姨父):姨妈的丈夫。

舅姆(舅妈):舅舅的配偶。

依兄弟:同父异母的兄弟。

乳兄弟:同母异父的兄弟。

阿嫂(嫂子):兄长的配偶。

弟媳、弟妹:弟弟的配偶。

小姨、阿姨、姨妈头（大、小姨子）：妻子的姐妹。宁波人认为姐夫与小姨子最亲。

阿舅（大、小舅子）：妻子的兄弟，又称内兄、内弟。

大伯：丈夫的兄长。

阿叔（小叔子）：丈夫的弟弟。

阿姑（小姑）：丈夫的妹妹。

连襟：本意是指两人之间彼此知心。生活中一般是指姐夫与妹夫的互称或合称，即姊妹各自的丈夫的通称。

叔伯姆（妯娌）：两兄弟的妻子之间的关系。兄弟的妻子之间就是妯娌。妯娌之间的关系，其实是兄弟关系的延伸。

宁波人对一些特殊的人群还有歧视性的称谓。如旧社会妇女改嫁，前夫所生但被带到后夫家去的子女，俗称"拖油瓶"。据说，"拖油瓶"正确的说法应该是"拖有病"。后夫娶寡妇做妻子的，家境一般都不太好。过去天灾人祸频繁，一旦寡妇带来的子女有什么三长两短，往往会受到前夫亲属的责难。后夫为避免这类纠葛，娶寡妇做妻子时，就要请人写一字据，言明前夫子女来时就有病，今后如有不测与后夫无关。因而人们就把再嫁妇女的子女称为"拖有病"。"拖有病"因为与"拖油瓶"字音相近，慢慢地就被人说成了"拖油瓶"。

再如过去寡妇被称为"孤孀"，没有成家的30岁以上的男人被称为"光棍"。"倒插门"指婚后一直住在妻子家的男人，又叫入赘。入赘婚姻多是女方家无兄无弟，为了传宗接代，招女婿上门。旧社会有一种陋习，男方到女方家成亲落户要随女方家的姓氏。"倒插门"的女婿地位低下,经常会被妻子的家族成员与邻居欺负,一般只有家里十分贫穷娶不起老婆的人才愿意入赘。还有一种蔑称叫"野生",用来指称非婚生子女,也即私生子。过去,一个姑娘未婚先孕是一种大逆不道的行为,即使熬过了家族肉体上的处罚,道德上的谴责也将伴随其终身。其所生子女同样被人唾弃,遭人污辱。"野生儿子"就是经常可以听到的一句骂人话。

使用尊称敬重人

过去普遍的教育是对人要彬彬有礼,见人要使用尊称,不能直呼其名,即便对方年纪比自己小许多,也应按辈分称呼。比如一个六十多岁的人,遇见一个十几岁的孩子,从年龄上看,一个是另一个的爷爷辈,但如果论家族辈分,年纪大的是小的的孙子辈,那大的也要开口叫小的为"××爷爷"。还有一种"大外孙小娘舅"的现象。过去女孩子十六七岁便结婚了,三十五六岁女儿便出嫁了,经常可以看到一边女儿生孩子了,一边做母亲的也怀了孕。结果,外孙已经牙牙学语,儿子才呱呱落地,外孙年龄比儿子还大。长大以后,外孙必须要叫自己妈妈的小弟弟为舅舅。现在婚龄普遍推迟,这种现象就不常出现了。

旧社会家庭里,夫妻之间的称呼也很有意思。妻子称丈夫为先生、老爷;丈夫称妻子为夫人、太太。农村里则相互间既不叫称谓也不喊名字,只是以"哎""侬"等替代,或以孩子阿爸、孩子阿娘互称,不像现在直呼其名,少了含蓄和温情。

有教养的人见面除了互致问候,还要向对方的父母致意,一般会说:"令尊令堂大人可安?"一方的回答是:"谢谢,家父家母安康。也代向令尊令堂大人问好。"对他人的尊称一般要加个"令"字,如尊称别人家的子女为"令郎""令爱";对外称自己的长辈则要加个"家"字,如家祖父、家祖母。而对外称自己的妻子、子女又有另外的叫法,称妻子为拙荆、贱内、内子等,称儿子为犬子、小儿,称女儿为小女等。

在农村则是另外一番景象。一个村子里,乡里乡亲的,一般见面打招呼,除自己的晚辈及没有血缘关系的外姓后代外,都要后缀一个辈分词。如比自己大两辈,又比自己亲爷爷奶奶年纪小的,便尊称一声"××叔公""××叔婆";比自己大一辈的,叫一声"××伯""××阿叔",或"××阿婶""××阿姨";同辈比自己年纪大的,则称作"××哥""××姐""××阿嫂"等。

尊称使人感到亲切温暖,就好像大家都是一家人一样。邻里之间那种守望相助、亲如一家的和谐氛围的形成,与对人使用家族辈分称谓是分不开的。但称谓使用不当也会引起不必要的误会和尴尬。过去人们思想保守,女孩子非常看重自己的未婚身份,如果有人把姑娘称为嫂子,那就会十分尴尬。我就碰到过这样一件事。那时男女老少都在生产队干活,每个人都晒得黑不溜秋的。中午收工后,大家都到河埠头洗手洗脚,刚好走来一个外地人问路,问的是一位姑娘,开口就叫"阿嫂",叫得那姑娘脸一红,马上回击道:"谁是你阿嫂?"她觉得对方污辱了自己,那人只好悻悻然走了。还有女士们喜欢被称呼得年轻一点,明明是大妈的年纪,你叫她孃孃、阿姨就不开心,你叫她阿姐便笑容满面。

丧亲之痛

生老病死是生命的规律。即使一个人活过百岁,也终有一天要面对死亡,归于尘土。人死不能复生,死亡对活着的亲人来说,无疑是巨大的悲痛。为了铭记死者的恩情,寄托深深的哀思,在亲人尤其是自己的父母亡故以后,都要举行或隆重或简朴的葬礼,让死者安息,让生者慎终追远,不忘根本。

葬礼的程式比较复杂,而且因各地风俗、家庭宗教信仰的不同,也会有所不同。下面介绍的是浙东地区丧礼的一些比较普遍的程序和仪式。

临终诀别

人死亡的原因很多,以老死来说,老人其实在弥留之际已经知道自己快走到生命的终点了,会将应该交代的身后事一一告知子女,包括房屋财产的分配、积蓄的处理及欠债情况等。有些老人在临死前还会回光返照，本来已经奄奄一息，突然间却有了精神，与人交谈起来，而且思路清晰，把后事讲得清清楚楚，可没过几个时辰便不行了。围在一旁的子女们把老人的话记在心里，并满口答应。眼见着老人只有出气，没有进气了，老伴会端来一碗米汤灌入其口中，说是去世前再吃上一口，到了阴间就不会变成饿鬼。这时众子女便齐刷刷地跪在床前，默默祈祷。过一会儿，听不到床上有任何声息了，便有人去试老人的鼻息，没气了，一声"走了"，众人便忍不住号啕大哭起来。

据说老死的人走的时候灵魂从肉体逸出，有一种非常愉悦的感觉，还能够感受到亲人的痛哭，但他并不喜欢。哭了一阵之后，长兄会说一句，大家都起来吧，办事情要紧。于是众人强忍悲痛，按照事先商量好的分工，报丧的报丧，请人的请人，采办的采办，各自忙去了。

移尸灵堂

卧房面积不大，而且家具放得满满的，作为停尸吊唁场所并不合适。宽敞的堂屋间则是比较理想的地方，可作为灵堂。

搬动遗体前，请来的入殓师要先为死者理发、净身、整理容貌，穿上寿衣寿裤及新袜子、新鞋子、新帽子。收拾停当后，死者就像生前睡着了一样。然后大儿子扛头，小儿子扛脚，其他儿子分扛两侧，将遗体移至业已搭好的灵床上。

灵堂布置得庄严肃穆,正中挂着死者的遗像,两边和门上挂着白色的布条,灵床吊起了帷幔,死者就静静地躺在那儿。脸上会盖上一块白毛巾,脚那头的床底下点着一盏油灯,出殡前这盏油灯是不能熄灭的,因此要时时查看。在灵床前面,念经的台子已经搭好,上面点着蜡烛和香火。与此同时,早有人拿着两只碗出去摔在路口边上,并燃起一堆稻草,表示此地有人去世了。

念经超度

按宁波风俗,人死后第三天才能下葬。其实,从去世的当天算起,共三天两晚。这段时间主要是为死者念经超度并接受吊唁。

念经的有和尚、道士,也有从事这一行的专业队伍。这些人以上了年纪的妇女为主,一般要请四到六人一起念。念的经文五花八门,常用的是《地藏经》《心经》《阿弥陀经》《佛说天地八阳神咒经》等。众人口中有节奏地念经,两只手不停地折锡箔。锡箔为冥钱的一种,预先折成梯形,使用前用手一翻一抖,就变成了一只纸元宝,用于灵前或坟头焚烧。每间隔半分钟,其中一人还要敲一下木鱼或响槌。念经的领班还要不时地招呼各孝子和众亲属手持香火,围着灵床转圈。灵堂里充满了既神圣又诡异的气息。

吊唁与祭奠

灵床前,儿子儿媳和女儿要披麻戴孝、日夜守灵。所谓披麻戴孝,就是孝男要穿戴麻衣草帽,女儿和儿媳要罩粗麻布,其他亲人则腰缠一块白布。现在办丧事,除了一些农村地区,很少再披麻戴孝,只是在左臂衣袖上别一块黑布、一朵白花,再在脖子上挂一条麻线就行了。

女儿和儿媳除了自己要表示深切悲痛,见到闻讯赶来吊唁的亲戚朋友都要陪着放声痛哭,而且哭声越大,表示越孝顺。灵堂不时传来阵阵痛哭声,悲痛的气氛弥漫在每个角落。吊唁的人都会在灵堂前鞠躬跪拜,而且都准备了丧仪,有的象征性地送一些现金,更多的是送一条"重被"和几沓锡箔。"重被"五六尺见方,被面颜色比较艳,被夹里基本是白色,里面衬了一层很薄的棉花,用于入殓时盖在遗体上。现在人们前往吊唁时,除了至亲,很少送"重被"之类的,多数送的是花圈。一时,有丧事的人家门口的花圈排成了长龙,这在农村倒没什么问题,在城市里就会影响交通和邻居们的生活了。

择地做坟

坟墓分为两种:一种叫寿坟,也叫寿穴,是老人生前预先做好的,连带棺材也是预先打好的(打棺材,宁波人叫合棺材,合,音"革",意为制作),叫寿材。一种是儿女们觉得老人快不行了,临时择地现做的,当然棺材也要临时做起来。

现在城市普遍建有公墓,做坟就省事多了。棺材也随着火葬的推广不再常见,取而代之的是骨灰盒。选择坟地大都比较讲究,要让风水先生实地察看。如果是在山上,要选择朝东或朝南向阳的,下面的土层要厚,四周树木比较茂盛。传统的说法是祖坟做得好,不仅逝去的人在地下住着舒适,还能够庇荫子孙,使后代大富大贵。选坟地时要反复比较,直到满意为止。

坟一般做两穴,中间用砖隔开,左边是父亲,右边是母亲。夫妻同墓是中国人的传统,意为"生当同衾,死亦同穴"。

墓碑由石板制成,上面刻着"某某之墓"几个大字,右边刻着小字"同配某某",落款是几个儿女的名字。寿坟上,墓主的名字涂成红色,表示还活在世上,去世后姓仍为红色,名则被涂成黑色。所以墓碑的字有两种颜色,活着的红字,去世的名为黑字。坟墓的前面要做一个平台,在平台上摆放石桌石凳,用于安放祭品。

碑的两边各有一石条,石条上刻一副对联,内容多种多样,有赞颂先人功德的,有激励后人奋发向上的,也有预言警世的。我看过印象最深的一副墓碑对联是"不求金玉贵,但愿子孙贤"。短短十个字,言简意赅,既体现了先辈的高尚情操,又表达了对子孙的殷切期望,是一副具有传统道德教育意义的对联。

做一柱坟,七八个劳力要花两三天时间,但基本会在出殡前完工,即使不能完工,主体工程肯定是完成了,毕竟做坟不是造房子,还是比较容易的。当然,曾经报道有些地方的坟占地面积特别大,做得特别豪华,那就另当别论了。

出殡路祭

老人去世的第三天就是出殡的日子。众人一早就忙开了,首先是入殓。

入殓师要重新给老人换衣服,并在棺材底铺上石灰之类的干燥剂和几层"重被"。只见他一边做一边唱,唱的内容无非是你去了以后,在那边要保佑子孙后代升官发财、平安幸福等。一长串一长串的随编随唱的词,唱得人心酸无比,眼泪忍不住吧嗒吧嗒往下流,真的是阴阳两隔,天人永别。

待收拾完毕,入殓师要让长女象征性地打一盆水,脸盆里放一枚硬币,拿一条新毛巾给老人洗把脸。此时,原先盖在老人脸上的白毛巾被拿掉了。洗脸的时候要擦得仔细,但手不能碰到脸,泪水也不能滴到老人脸上。然后所有在场的人要围着灵床手拿一炷香走一圈,这是亲人们最后一次看老人。待众人走圈完毕,入殓师招呼各孝子按原先移遗体时的做法,大儿子捧头,小儿子抬脚,将遗体移入棺中,再盖上几床"重被",放入老人生前用过的或喜欢的物件,比如老花镜、香烟、火柴、纸钱等,视死如生。入殓师一边盖"重被",一边还要高声报出送"重被"的后代和亲戚的姓名。待盖下棺盖、钉上钉子的那刻,众子女和亲戚再次悲从中来,扶棺痛哭。

接着便准备出殡。出殡时有许多道具,主要有:哭丧棒,竹子外面缠绕白色纸条,由孝子孝孙手持,表示失去长辈的扶持后,今后的日子要靠自己撑着了。旗龙幡,又称"引魂幡",形如旗子,用来招引亡魂。黄油伞,如同皇帝出巡时的黄盖,用来罩盖牌位。牌位上面写着逝者的姓名,表示死者的身份,还有死者生前的照片或画像。

出殡的时辰到了。众人按规矩排好队,手上都拿着一炷点着的香。走

在最前面的是手执旗龙幡的亲友,接着是捧着牌位的女婿、为其撑黄油伞的人及捧着照片的外甥,后面有一人专门负责在路上撒锡箔,一人负责撒米,用于孝敬路神、桥神,再后面便是由四人或八人抬着的棺材,跟在棺材后面的是手拿哭丧棒的孝子孝孙队伍,包括拿着供品的女眷,最后面才是亲朋好友、近邻远舍。子孙多、人缘好的人家,送葬的队伍会拉得很长,丧家也会觉得很有面子。

从家到墓地的路上必须跨水过桥。如果路上没有桥,就必须走远路直到过桥为止,目的大概是让亡灵知道回家的路怎么走,河、桥在哪里。过桥时,众孝子孝孙要停下来将棺材搁在长板凳上,跪地下拜,祈求桥神今后为亡灵回家提供方便。

下葬封土

棺材到了墓地还要停放一会儿,墓穴要用柴草熏烧,祛除湿气,四个角落上要各放一摞铜钱,作为棺材的垫脚,也寓意家底殷实,在阴间不会受穷。

接下来便是入土了。用两条绳子套在棺材的前后两端,七八个人一起用力,根据老人的身份将其吊入相应的穴内(左男右女),盖上石板,加上封土。这时又是一阵痛哭声,实在是不舍啊!女眷们早已在墓前的供桌上摆出了祭品,有鱼、肉、豆腐、黄豆芽等菜肴及各种糕点水果。烛与香也点上了,众人一一上前跪拜,此乃永别了!

祭奠后,带去的物品包括吃的,基本都留在坟墓边上。只有手中的那炷香仍要留在手上。送葬的队伍要原路返回,香烧完了要续上,不能熄灭,直至插到灵堂的香炉上。此时,家门口附近早有人点燃了一堆稻草,每个人都要从火堆上跨过去,以去除送葬时带来的阴气。

至此葬礼算是基本结束了,接下来便是丧宴。作为丧家,今后五十天内,每隔七天要祭奠一次,追忆亲人,宁波人叫作"七头"。"头七""三七""五七""七七"都是重要的"七头",有些人家还要再请人来念经,直到七七四十九天断"七"为止,据说那时老人的灵魂才正式离开了。

以上所说的是过去农村土葬的一些规矩习俗。现在,城乡普遍推行火葬,但葬礼内容除遗体要在殡仪馆火化外,其他的与土葬的礼仪规矩相似,不再赘述。

黎芗有语

丧亲之痛究竟有多痛?那是锥心刺骨、莫可名状之痛。在最后告别的时候需要一种仪式来追思先人、抒发哀痛、告慰生者,这本是人之常情。所以古人总结出的一套丧礼规矩,才能流传至今。

贤妻良母

做女人不容易,做一个贤妻良母更不容易。封建社会对妇女的要求十分苛刻,其中最重要的规范就是"三从四德"。"三从"指未嫁从父、既嫁从夫、夫死从子;"四德"指妇德、妇言、妇容、妇功。"三从四德"集中体现了儒家思想在伦理道德方面对妇女社会地位的规范,成为奴役和压迫妇女的精神枷锁,千百年来不知坑害了多少女性。现代社会早已摒弃了这些束缚妇女的封建礼教,涌现了许许多多的女英雄、女模范,妇女翻身解放,获得了人身自由,与男子一起参加各种社会活动,并在家庭中获得了与丈夫一样的地位,甚至发挥了主导作用,挑起了生活重担。但毕竟男女有别,一个已婚的有家庭的妇女需要发挥自己的女性优势,在建设和谐社会、和谐家庭中扮演好应有的角色。

相敬如宾，忠于爱情

现代社会除非是偏僻山区，已经少有"父母之命、媒妁之言"的包办婚姻了，多数是自由恋爱之后在一定感情基础上的男女结合。即使是经人介绍相识，也是经过一段时间的相互接触和了解才喜结连理的，当然那些相识几天就"闪婚"的除外。

组建了家庭，双方就要相互忠诚，视对方为自己的生命，绝不能红杏出墙，搞婚外情，做出不忠不伦的事情来。婚后，妻子作为女性的温柔和爱心更多地体现在细节上。什么时候丈夫该添衣服了，什么食品吃了对丈夫身体有利，丈夫出门带什么行李，甚至丈夫在公众场合的穿着打扮，事事在心，仔细操办。丈夫工作上碰到困难，在单位受了委屈，细心的妻子也会帮出主意，百般慰抚。即使夫妻偶尔拌嘴，做妻子的也会让步，点到为止。

当然婚姻是两个人的，夫妻在家里的地位也是平等的，不存在主从关系。所以，丈夫关心体贴妻子，也是天经地义的。比如主动分担家务、关心妻子的工作、在妻子孕期和生理期给予更多的照顾等都是丈夫应当做到的。

很多女人喜欢逛商场。如果妻子要求丈夫陪同，丈夫就要有足够的耐心。大多数男人心里想着买什么，到店里就直奔主题，很少比较和还价。而大多数女人就不一样了，进了商场，特别是到了服装店，便两眼放光，兴奋异常。试完这套再换另一套，照照镜子，自我欣赏一番，让人评论一番，还时不时地征询一下丈夫的意见，最后找个借口，一走了之。这种时候做丈夫的千万不可显露出不耐烦的神情，一定要笑脸相伴，一家一家地陪着逛下去，直到妻子意兴阑珊。这也算是对妻子爱的具体体现吧。

奉侍公婆

男婚女嫁，男人结婚叫娶妻，也就是把妻子娶回家。女子结婚叫出嫁，就是婚后女人要一辈子生活在丈夫的家里。自古以来，中国社会都倡导和实行大家庭制。儿子结婚后仍然与父母、兄弟姐妹共同生活，作为儿媳同样也与公婆叔伯小姑住在一起。传统的孝道要求儿媳必须孝顺公婆，听从公婆教诲，服侍公婆生活起居，承担家务杂事。古代有一些恶婆婆对新媳妇十分严苛，轻则给脸色看，重则随意打骂，囿于"三从四德"，新媳妇只能逆来顺受，苦熬日子。俗话说"廿年媳妇熬成婆"，一个"熬"字形象地表现了做媳妇的辛酸和煎熬。

时代不同了，如今婆婆虐待媳妇的现象几乎绝迹。儿子结婚以后也大多分户独立，过起自己的小日子，很少再与父母一起生活了，但婆媳矛盾始终存在于不少家庭中。在农村，这种现象更加普遍。

婆媳矛盾的原因有很多。对婆婆来说，儿子是心头肉，从小养大，十几、二十几年形影不离地共同生活。母子之间的感情真的比海深比天高。儿子结婚了，突然来了一个陌生女人与儿子同住，两人亲密无间，婆婆看在眼里酸在心里，产生了强烈的失落感，内心深处可能觉得是这个女人夺走了心爱的儿子，自然而然对新媳妇产生了敌意。对媳妇来说，从小在另一个家庭长大，因为丈夫的缘故才来到这个家，对公婆缺少亲近感，对新的家庭也需要一个适应过程。许多会对自己父母讲的话，不会对公婆讲，在父母面前撒撒娇、卖卖乖，在公婆面前也是绝对做不出来的，自然与公婆存在隔膜。另外，双方性格上的差异也是造成矛盾的一个重要因素。如果婆媳双方都脾气暴躁,对小事斤斤计较,就容易爆发冲突。还有的矛盾是由误会引起的,婆婆或媳妇说了某一句话,说者无意,听者有心,另一方心里可能就产生了疙瘩;儿子说话不当,母亲听了不舒服,可能会把账记在媳妇头上,以为是媳妇挑唆的。凡此种种,都可能成为婆媳矛盾的导火线。

为了消弭婆媳矛盾,儿子要学会做调解人,老妈要摆平,老婆也要摆平。媳妇要有高姿态,婆婆是丈夫的母亲也是自己的母亲,是自己亲近的人,要用真情消除婆婆心中的失落感,多与婆婆说话沟通,让婆婆觉得这个媳妇明事理。媳妇工作在外,要经常回家探望公婆。有孩子了,最好带着孩子一起回家,看到孙子孙女是公公婆婆最开心的事情。尤其是过年,一家人亲亲热热,让老人享受天伦之乐,老人对儿媳妇的印象就会非常好。此外,还要经常关注公婆的生活,不时买一件衣服、一盒糕点送给公婆,让他们感到暖心舒心。不少婆婆喜欢炫耀媳妇孝敬自己的东西,一件新衣服穿在身上,她会时不时地对人说这是媳妇买的。至于公婆生病受伤,儿子媳妇服侍在侧更是理所应当的。

生养子女

由于男女生理结构不同,结婚后,生养子女的任务更多地落在妻子身上。"十月怀胎,一朝分娩",怀孕生育对一个女人来说,既满怀着即将做母亲的莫大喜悦,又承受着精神上的巨大压力和身体上的种种不适,同时这也是一个女人推不掉的责任。

怀孕期间,丈夫应当加倍体贴爱护妻子,让妻子心情愉悦、身心健康。孕妇自己更要为肚子里的宝宝着想,针对性地加强营养,调节好心态,定期检查身体,尽量保证即将出生的宝宝健康强壮。更繁重的任务是孩子出生以后的养育,从哺乳期到上幼儿园前这段时间,孩子都需要做母亲的一把屎一把尿地照料,其中的辛苦不用言说。上学以后也不省心,一日三餐、上学放学接送、督促学习等都要母亲亲力亲为。现在的小孩从上幼儿园开始就处在竞争环境中,上名园名校、学琴棋书画、学奥数,这些不仅让孩子失去了许多童年的乐趣,也加重了父母的负担。尽管政府并不提倡儿童学这学那,但做父母的总有一种期望,希望子女长大后成龙成凤、出人头地。还有不少父母有从众心理,认为人家的孩子学了这么多,自己的孩子也不能输在起跑线上。到了中考、高考,父母就更操心了,把孩子当皇帝供着,什么都围着孩子转,希望孩子考得高分上名校。直到大学、研究生毕业,还得操心找工作的事。待到孩子进入社会,又开始张罗买房子、找对象。子女结婚成家后,心里又盼着养孙子、抱外孙。父母为子女真是鞠躬尽瘁、死而后已啊!

操持家务

妻子是家庭的内当家,更多地承担了家里的各种事务。当家当得好不好,对内关系到家庭成员的生活质量,对外影响一个家庭的体面程度。

当家人有以下几个主要任务。一是管钱理财。夫妻双方的收入要合理安排,开支要有计划,什么必须买、什么可买可不买、什么不应该买都要

心中有数,要量入为出,不能做"月光族"。家里还必须有一定的准备金,以备不时之需。总之,一定要贯彻勤俭持家的理念,即使家里十分富裕,也不可大手大脚,铺张浪费,这对孩子的成长也十分有益。

二是缝衣做饭。现在服务业发达,好多人认为即使不会缝衣做饭照样也能生活得很好。衣服旧了,去店里再买一件就是了;饭店遍地,跑进去吃就是了。衣服旧了,买一件新的倒也罢了,但纽扣掉了或线脚脱开了,你总得会缝上去吧。天天在外面吃饭,一来对健康不利,二来缺少了家居生活的情趣。妻子、母亲基本上都应有一手好厨艺,懂得如何调理一日三餐,做到既好吃又营养。看着一家人吃得津津有味,做主妇的心里肯定甜滋滋的。

三是洗刷打扫。洗衣、拖地、抹桌、整理又累又费时,丈夫体贴的,主动干点活,丈夫懒惰的,可苦了妻子了。现在洗衣机基本普及,省了不少洗衣的时间,但打扫房间仍是繁重的任务。不少新婚夫妻在大学读书时养成了坏习惯,早上起床不叠被,下班回家不拖地,满屋的灰尘,房间更像狗窝。男人的衣服几个月不换洗,两只袜子"一只爹一只娘",全无形象。外人见了,可能不会说这个男人懒惰,但会说他家老婆真懒,不知道给老公洗洗衣服,打扮打扮。对子女也一样,子女小的时候衣着打扮全靠母亲照料,孩子身上的整洁度,直接反映了母亲的勤劳程度。记得我儿子读小学时,同桌是一个女孩,这女孩蛮可怜的,穿的衣服又脏又旧,而且身上还有异味,我儿子说她怎么这么臭,头也不洗洗。那女孩很委屈地说:"我爸爸不在家,我妈妈一天到晚搓麻将,也不管我。"这样的父母就太不称职了。"慈母手中线,游子身上衣。临行密密缝,意恐迟迟归。谁言寸草心,报得三春晖。"丈夫和孩子的衣着是女人作为妻子、母亲爱的具体体现。

交友之道

每个人都有朋友,否则就是孤家寡人了。朋友有亲疏远近之分:亲近者,胜过兄弟,无话不说,亲密无间,有福同享,有难同当;疏远者,酒肉朋友,说话留三分,做事防一脚,"大难临头各自飞",更有甚者,临门一脚将你踢入深渊。所以交友要慎,心中要有一杆秤。

孔子曰:"益者三友,损者三友。友直,友谅,友多闻,益矣。友便辟,友善柔,友便佞,损矣。"孔老夫子将益友、损友的界限划得很清楚:同正直的人、诚信的人、见多识广的人交朋友有益;同走邪道的人、善于阿谀奉承的人、善于花言巧语的人交朋友有害。

晚清名臣曾国藩将交友的原则讲得更加具体透彻,他提出了"八交九不交"的交友准则:八种益友可交,即胜己者、盛德者、趣味者、肯吃亏者、直言者、志趣广大者、惠在当厄者、体人者;九种损友不交,即志不同者、谀人者、恩怨颠倒者、好占便宜者、全无性情者、不孝不悌者、愚人者、落井下

石者、德薄者。

曾国藩归纳的这十七种人几乎囊括了所有类型的朋友，其交友原则对现代人仍有借鉴意义。但"八交九不交"主要是从交友的客体角度来衡量这个人该交不该交，并没有从交友主体的角度来加以阐述。那么作为主体，如何来结交朋友和处理朋友关系呢？自古以来也有不少经验和准则。

不交酒肉朋友

宁波人称交朋友为"凑队"。交了不三不四的狐朋狗党，叫"凑歪队"。"物以类聚，人以群分""近朱者赤，近墨者黑"。一个人"凑了歪队"，即使原先底子还不错，久而久之也会受人影响，变成坏人。

父母对自己孩子的交友都十分关注。如果小孩带回家的朋友彬彬有礼，好学上进，两人一起做作业，一起探讨问题，父母会十分开心。如果带回来的朋友说话流里流气，打扮怪模怪样，香烟横夹，脏话连篇，父母见了肯定不高兴。事后一定会告诫孩子，以后不许与这种人交往。

成人圈也一样。当你有财有势时，总有一帮人围着你、吹捧你、与你一起吃吃喝喝；待到你财尽势失，则树倒猢狲散，与你视同路人，恶毒的再反咬你一口，让你尝尽世态炎凉。这种朋友是绝对交不得的，即使一时看不清交上了朋友，也要注意观察。日久见人心，一旦对方暴露了真性情，就应该当机立断，坚决疏远之，否则贻害无穷。

不做让朋友为难之事

朋友之间相互帮助、风雨同舟本是应有之义。但请朋友帮忙要顾及对方的处境,不能为了一己之私让朋友受累为难。

比如借钱。人免不了有一时之急,开口借钱也是无奈之举。但缺钱最好向银行贷款或向自己的至亲调剂,不到万不得已不要向朋友借钱。因为借钱容易使朋友为难,即使朋友本人愿意,还要与其家人商量,一家人意见不统一,容易引起人家夫妻矛盾,造成朋友尴尬。

又比如,你有一个做老板的朋友,平时关系也不错,你觉得这个老板的企业形势非常好,便想推荐自己的亲戚去谋职。这可能也会让你的朋友为难。作为朋友,他要答应你,作为老板,他要考虑企业的发展。你的亲戚是个人才,是企业正需要的人,这事倒还好办,但如果你的亲戚文化程度不高,没有一技之长,安排起来就会有麻烦。况且作为朋友往往还要顾及你的面子,给你的亲戚安排一个比较体面的岗位,有说得过去的收入。我想,如果你知道了朋友的这种处境,作为一个能够推己及人的真朋友,就不会做这种事情了。

君子之交淡如水

真正的朋友交情并不受利益驱使,不含任何功利之心,它就像水一样,无色无味,纯洁清澈。

日常生活中有不少人觉得,人和人之间的交情都是建立在利益交换的基础之上的,找朋友帮忙必得送物送钱,如果"意思"不到,人家不会帮忙。于是送烟送酒的有之,送金送银的有之,殊不知这样做本身就没有把对方当作自己的朋友,只是将其当作达到自己目的的工具,更可怕的是这还埋下了一颗将对方推向深渊的定时炸弹。

朋友之间可以礼尚往来,这也是中国人情社会的常态,但送礼不可过重,心意到了就好,就像日本人送礼一样,礼物包装得很漂亮,里面却可能只是一块手绢、一盒小点心,甚至是一双筷子。我们常说日本人小气,其实人家表达的就是一片心意。如果你送的是价值上千上万的礼物,叫你的朋友如何还礼呢?不还礼,心里一直牵挂着;还礼,又拿不出东西,叫人好生为难。

送人玫瑰,手有余香

朋友有难,理应尽力相帮,过去叫"两肋插刀";朋友有喜要贺,要感同身受;朋友不上不下的时候,要向上推其一把,让他顺风顺水。朋友之间不应相互嫉妒。当朋友在生意成功的关键时刻,或在官场得到提拔重用的要紧关头,你的一个主意、一笔资金、一个电话、一张选票甚至几句好话,即使不能成为决定因素,也有可能成为其成功的"最后一厘米"。你的付出可能微不足道,但对对方来说可能就是一场酣畅淋漓的胜利,一个人生的重要转折。当你看到朋友因你的付出而成功时,你的心中也会充满付出的快乐。

黎芗有语

　　世间朋友择其要者大体有四类：一为韵友，心灵共鸣者；二为挚友，无话不谈者；三为利友，利益相关者；四为贼友，出卖朋友者。朋友又可分三级：一级朋友过命，二级朋友交心，三级朋友酒肉。

　　肯对你说真话的朋友是真朋友。真话不一定好听，却一定出自真心。如果说你是风筝，那么真朋友就是那条风筝线，他在希望你高飞的同时，不让你乱飘，一旦发现你飘了，就一定会收一收线。

　　少跟有财无德的人打交道。有些人无事不登三宝殿，他们带着目的和你接近，一定会投你所好，将你捧得飘飘然，让你以为他是个一切替你着想的人，是最值得信任的朋友甚至兄弟，并让你在毫无防备的情况下答应他们的一切要求，甚至主动替他们谋划。可一旦目的达到，觉得你不再有利用价值，这个人就会在瞬间变脸，弃你如敝履，令你悔之莫及。

　　违背自己良心的话不说，有损他人的事不做。做到这两条的人，可以将其作为终身挚友。

　　朋友在一起交流，多给对方说话的机会也是一种美德。朋友既然有话要说，就一定有非说不可的道理，成人之美、为对方着想也是待友之道。

为客之道

中国人好客。孔子曰:"有朋自远方来,不亦乐乎。"好客不仅体现在心情的快乐上,更多地体现在待客之道上。从国家层面来说,外国的总统、总理访华,要有相应级别的领导到机场迎接,国家主席、国务院总理要在人民大会堂举行隆重的欢迎仪式,有奏两国国歌、鸣礼炮、检阅三军仪仗队、举行国宴、陪同参观考察等一整套严格的外交礼仪,以彰显我们国家的文明形象和大国风范,让来访者感受到尊重和友好。对一个家庭来说,也是同样的道理,尽管不会举行欢迎仪式,但有些礼节是必须要做到的。

迎候

如果不是不速之客,预先知道客人到达时间的,主人一定会在路口、门前迎接客人。如果是坐车、坐船来的远方客人，主人还要派人到车站、码头迎接，以免客人因人生地疏而迷路。

与客人见面后，过去是双手抱拳，现在是握手致意。女眷们见面除了拉手，还要拥抱一下，以示亲热。一边做着肢体动作，一边口中还要说着"欢迎，欢迎"，并道一声"路上辛苦了""快进屋说话"之类的礼节话。如果客人中有小孩也要称赞几句，比如"又长高了""越来越像爹妈了"等。同时家里的人要迅速接过客人手中的行李，将其请进屋里，让客人充分感受主人的好客。

敬茶

把客人迎进房间后，要按主客座次，先让客人落座。接着便是家人上茶，如果是尊贵的客人，则要双手捧着茶盅，恭恭敬敬地奉至跟前，客人则起身，双手接过并表示感谢。客人座位旁边的桌子或者茶几上还应放一些诸如苹果、橘子、香蕉的四时果品以及花生、瓜子、糕点等小零食。主人应热情招呼"随便吃点"。

如果这时离吃饭时间尚远，家里的女主人应下厨做点心。宁波人通常做的点心有浆板圆子、桂花年糕、猪油汤团等。热气腾腾的点心端上来，客人即使不觉得饿，面对主人的盛情也要品尝几口。唯有一种点心，一般客人是享受不到的，就是桂圆甩蛋。按宁波习俗，毛脚女婿（准女婿）第一次上女方家拜见未来的丈人、丈母娘时，丈母娘见了开心，端上来的点心就是桂圆甩蛋，所以宁波有句老话叫"丈母娘一声呕，蛋壳一畚斗"。

随礼

到别人家做客,空着双手是不成的,必须随礼。

国家领导人出访也要准备国礼,这是通行的外交礼仪。我早年到德国的特里尔小镇,瞻仰坐落在那儿的马克思故居,里面就陈列着我国领导人送的一个瓷盘。去年我到塞尔维亚参观铁托纪念馆,里面也有中国领导人赠送的一套景德镇的茶具。

传统上,亲友之间走动,送的礼物以食品为主。过去物资匮乏,出门做客前会先去南货店或农村的小店包几个"包头"。"包头"形似斧头,人称"斧头包"。所谓"包头"就是用粗草纸包上红枣、黑枣、豆酥糖、红糖、印花糕之类的点心,然后再附上一张红纸,用细麻绳扎紧,是很漂亮、有档次的礼物。有条件的,还会送一小筐水果,这种竹编的筐里放五六只苹果就满满当当了,上面再覆一个同样的竹编盖,然后也附上一张红纸,用绳扎起来。这种"包头"一般是送给上了年纪的老人的,如果做客对象家里有小孩,还要准备一些诸如糖果之类的小礼物。

现在送的礼与过去大不相同了,好多送的是烟酒及滋补品。至于托人办事或想通过不正当的手段获取不法利益的,送的礼就更贵重了,比如送钱、贵金属,当然这已经超出了人情往来的范畴,有行贿受贿的嫌疑了。送礼时主人肯定要推辞几句,客人也要说上一些理由,让主人收得安心。

坐姿

在自己家里,穿着可以随便,即使只穿内衣内裤也没事;还可以躺着看书,跷着双脚嗑瓜子。到别人家做客,可得注意了,否则会被人家视为没有教养,没有素质。首先装扮要端正,衣冠要整洁。其次要有坐相。宁波人经常说"坐有坐相,立有立相"。标准的坐相应该是在入座前适当整理一下衣物,坐下后双脚正放或侧放,双手自然落在膝盖上。女士如果穿裙子,落座前要稍微拉一下裙子,双膝一定要并拢,任何时候都不能分开。落座时千万要注意不能有两种姿势:一种是"葛优躺",即坐在椅子上,头靠椅子背,身子斜躺,双脚翘得半天高,给人一种慵懒、颓废、二流子的感觉;另一种是跷二郎腿,跷起的脚上鞋半穿半脱,并不停抖动,自得其乐。别人一看这两种坐相,第一印象就是这人缺少教养,没有素质。

古人要求"坐如钟,立如松",现在多数人都做不到了,但做客时保持良好的坐姿,还是十分必要的。这既是对别人的尊重,也是自己修养的体现。

举止

到别人家做客,谈吐要得当,举止要收敛。做客,通常是为了交流亲友之间的感情,加深情谊。话说"人不走不亲",即使是最亲近的人,几年不走动也会生疏起来。也有目的性很强的访客,比如家里经济上有困难,想从亲友处借点钱渡难关,子女想在单位里进步快一点,要求亲友提携等。

无论何种情况,到了别人家里,说话不能张扬,不能高谈阔论、大声说笑,尤其是要请别人帮忙的,更要有谦卑的态度,最好能婉转地提出自己的要求,不能强求,更不能觉得理所当然。如果带着小孩子去,还要随时管教,约束其乖张行为。小时候我去绍兴外婆家的亲戚那里做客,刚好他们家里放着一筐米,我便玩了起来,其间不小心将几粒米撒在了地上。当时粮食十分紧张,这户人家的婆婆马上翻了脸,说这个小孩"介皮",米都给糟蹋了,说得我母亲十分尴尬。还有一些人到了别人家觉得无事可干,十分无聊,于是静极思动,拉拉人家的抽屉,翻翻人家的柜子,这些行为都是犯忌的。

吃相

朋友来了有好酒。家里来了客人,主人就要盛情款待,杀鸡宰鹅烤肉炒菜,让客人吃好喝好,客人在饭桌上则必须懂得礼让和收敛。主人敬酒时,客人要站起来碰杯,表示感谢,并适时回敬主人。看到自己喜欢的菜,不能眼睛老是盯着,也不能"躇远隔水"去夹菜,更不要专吃一种菜。喝酒要适量,在朋友家醉酒是十分失礼的。最多喝到七八分,就应当谢绝再喝,避免出丑失面子。

黎芗有语

从前跟着外婆到亲戚家做客绝对是件辛苦的事,一趟亲戚走下来,就是一堂完整的礼仪培训课。孩子受了好多约束,一点没有自由,一出别人的家门,就耷拉着脑袋,嘟哝着累死了!

做客不能"烂屁股"

所谓"烂屁股"是指人一坐下来,就不想起来,一坐就是半天,好像屁股烂在了凳子上。

经常会碰到这样的朋友,到人家办公室或联系工作或拜访,说完正事便聊起天来,天文地理、鸡毛蒜皮,茶喝了一杯又一杯,话题一个接一个,就这样一直聊下去,也不顾及主人还有工作要处理,还有别人可能要找他。主人为了面子只好有一句没一句地应付着,心里其实已经很厌烦了。到别人家做客也一样,本来来了客人,主人很开心,递烟敬茶请坐聊天,按常理,附近的客人最多坐上一两个小时便回去了,可这个客人像是忘记了时间,几个小时过去了,还是没有想走的意思。马上到饭点了,预先也没说要在这里吃饭,主人有心请他吃饭,又没准备酒菜,让人为难。

这样的"烂屁股"使人难堪,也给人他很无聊的感觉。有这种毛病的人,要么比较空闲,一天到晚无所事事;要么天生就是一个话痨,可以滔滔不绝；要么比较自私，只考虑自己，不顾及他人的感受。

通常到人家办公室或到人家家里做客拜访，可先寒暄几句，接下来谈正事，说完正事，再聊上十几分钟便应该起身告辞。如果主人再三挽留，不妨再多坐一会儿，但也要看主人的忙闲程度以及时间节点，如果人家多次起立坐下的，或有别的人进出的，或者主人在看时间的，就应该及早告辞，不可多坐。

见人要预约

现在通信发达,外地来客到访,或通过电话或通过传真预先告知,很少再有不速之客。倒是经常会有本地人不打招呼就突然出现在你面前,让你感到唐突,但又不得不中断正常的工作和生活节奏,起身待客,甚是被动。

这种不速之客,自以为与主人很熟,是老朋友,随意点无所谓,好像朋友的办公室就是自己的办公室,朋友的家就是自己的家。当然也有个别是确有急事,需要找朋友帮忙,就急匆匆地赶了过来,碰到了,运气好,碰不到就等着,或再赶到别处去找。我就经常会遇到这样的事。正一门心思在办公室看文件或者写材料,突然有人进来了,忙起身打招呼,倒水让座,手头上的工作就只能放下了,然后便是聊七聊八的,浪费了时间,又打断了思路,尽管脸上还是笑眯眯的,心里其实很烦。还有几次,中午休息,刚刚有点睡意,突然有人敲门,只能睡眼惺忪地起来开门请进,心里却埋怨:怎么招呼也不打一个就过来了呢?真是不懂规矩。家里也遇到过这种情况,周六周日，本想睡得晚点再处理一些内务，结果一早就有人来敲门，只能匆忙起床，衣衫不整、仪容不雅地出去接待。

见人不预约是对别人的不尊重，即使是老朋友之间、亲戚之间也是如此。不速之客一到，弄得人家手忙脚乱、忙于应付，万一人家办公室或家里刚好有点隐私之事，也来不及遮掩，难堪得很呢！不预约，影响别人的工作和日常安排。工作日，绝大多数上班族手头上都有工作要做，你不打招呼直接找他，迫使他放下工作来接待你；到别人家里也一样，本来人家计划去看望父母亲或去购物旅游，你一到，计划就全部泡汤了。不预约，也是不自重。人家虽然接待了你，但脸上难免会露出不开心的神色，行动上也可能有怠慢。这时你也会不大高兴，但这是你自找的。

还有一个现象，就是进门不敲门。人家办公室的门关着，或许是人家想安静一下，或许是几个人在商量事情，突然有人直接推开门进来了，让人觉得非常突兀、没有礼貌。进别人办公室，敲门是起码的规矩。敲门后得到主人的允许，方可推门而进。如果主人说"请稍等"，你就绝对不能马上进去。怎么敲门也有讲究，不能用力敲，好像有什么急事似的；不能连续敲，好像非进来不可似的；不能用手掌拍或拳头捶，好像脾气很大似的。正确的敲门方法是弯曲手指轻轻地敲，敲一下再敲两下，然后停顿一下，再敲两三下，不可超过三次，当听到里面说"请进"时方可推门进去。

黎芗有语

见人说事要预约，进门办事要敲门，这不仅是社交礼仪，更是一个人的教养问题。作为被访问方，即便对方事先没有预约或者进来之前没有敲门,被骚扰了工作、打乱了计划,也一定不能把不快放在脸上。因为这也是对被访者素质和教养的一次考验。

七不留宿八不留饭

七不留宿八不留饭,其中"七"指七十岁,"八"指八十岁。也就是说,七十岁以上的老人到别人家做客,主人一般不叫他留宿过夜,八十岁以上的老人则连饭也不留他吃了。原因只有一个,就是怕老年人出意外,自己承担不起责任。

过去生活条件和医疗水平有限,人的寿命普遍不长,七十岁现在看来还算年轻,在古代已经被称为古稀之年了。八九十岁叫耄耋之年,已经是高寿了。这个年纪的人好多已疾病缠身、老态龙钟。老人在自己家里,日常生活起居有规律,静心休养,再加上家人的悉心照料,有些毛病并不会马上暴露。如果突然换了一个环境,正常的生活节奏被打乱,很容易因兴奋或疲劳引发不测。

老人在外做客,多有不便。首先主人一般不了解老人原先有什么病,万一复发,应对起来有困难,容易耽误病情。其次,老人发病后主人压力大,以为是自己没照顾好，让老人吃坏了东西，或是晚上睡觉受了凉，抑或是自己语言不妥让老人受了气。如果老人从此一病不起，主人家更会负疚得很，怕老人的直系亲属埋怨，断了亲情或友情。

陪老人吃餐饭、到景区旅游，让老人开心开心，本是应该做的事，但最好有其子女陪同，并千万要注意不能让老人累着。如果老人想见你，也最好是上门看望，以示尊重。如果迫不得已要在你家过夜，事先一定要让其家人带上该吃的药，并了解清楚老人的日常起居规律，尽量让其像在自己家里一样。

饭点时要留客吃饭

由于种种原因,客人到了饭点还没走,主人就要客气一句:这么晚了,就在我家随便吃点吧!这既是一句客套话,也是一种礼貌。

宁波人吃中、晚饭的时间分别在中午十一至十二点,傍晚六七点之间。客人到访,如果要用餐,一般都会事先约定,让主人有所准备。没有约定的,在饭点之前便应该告辞。可也有一些人或因事情没有谈完,或因不会看"三色",到了饭点仍岿然不动,主人便要留饭了。

饭点留客吃饭其实有两层意思。一是"催客走人"。言下之意是,吃饭时间到了,你事先没说要在我家吃饭,应该走了。识相的人马上就领悟到主人的话中话了,说一声"对不起,我忘了时间,先走了"。这种婉转的"催客走人"的办法往往十分奏效。但也有个别人不怕难为情,主人客气一句,他便顺势而上,马上答应"好的好的,就在你家吃饭"。其实主人并没有真的想留他吃饭的意思,客人应了,主人可是哭笑不得了。二是客人远道而来,到了饭点实在无处可去吃饭,应该真诚地邀请其一起用餐。事实上,家里的人也早已在厨房忙开了,尽管再到市场买菜已经来不及,但家里咸鱼、咸肉、鸡蛋之类的还是有的,简单整理几碗,便可待客了,客人也会感受到主人家的热情与温暖。无论如何,到了饭点说一句"在我家吃了饭再走"是起码的礼节。

◈ 黎芗有语 ◈

留饭是老底子宁波人普遍的待客之道。此外,上午或下午时分家里来了客人,如果没有点心招待,一般都会去附近点心摊叫几客小馄饨或一笼小笼包子来,哪怕临时整两只糖水蛋端出来也是好的,否则主人心里是会懊恼的。

吃规

中国人讲究吃,饮食文化源远流长,形成了许多关于吃的规矩和习俗。从餐桌的座次、上菜的顺序,到什么场景吃什么菜,营造什么样的就餐氛围都有讲究。此外,不同的地方又因风俗不同,形成了不同的吃法。本文只讲述浙东地区的一些吃规。

座次

用餐的座次反映了中国传统文化中长幼尊卑的思想,是社会稳定有序的微观表现。过去一般家庭成员众多,好多都是三世同堂、四世同堂,祖辈、父辈、子辈,甚至孙辈、玄孙辈济济一堂,好不热闹。吃饭基本上用的是大圆桌,十几个人围坐在一起。也有用八仙桌的,但肯定要分桌坐了。这么

多人吃饭要怎么坐呢？必须讲规矩，不能坐错了。

首先看方位定尊位。各家的餐厅坐落各不相同，坐东朝西、坐南朝北的都有。但不管如何坐落，都以餐厅的门为依据，座椅正对着门的为最尊，背对着门的为最小。从尊位开始，按右左顺序从大到小确定家庭成员的座次。家里如果最大的是祖父，正对着门的那个座位肯定非他莫属。祖父的右边是大伯，左边是二伯，以此类推。

其次，男尊女卑。在很长一段时间里，中国是一个男权社会，男尊女卑思想渗透社会活动的方方面面。家庭生活也是如此，过去，洗衣扫除、烧菜做饭都是妇女的职责和任务。吃饭时，母亲一般是不上桌的，媳妇也要帮着洗菜烧饭端碗。女儿的地位稍高一点，可以坐下来一起吃，但座次不会排在太前面。如果一户家庭里母亲过世早，大女儿或大嫂子就要挑起母亲、姐姐、女儿的三重责任，所谓长姐如母、长嫂如母就是这个意思了。等到家里的男人们吃完了，女人才可以匆匆吃上一口残羹冷饭，接着便是收拾碗筷，洗洗刷刷了。江浙一带的家庭对女性还是比较尊重的。据说旧时山东的女性地位十分低下，女不上桌成为一项硬规定，即使为老祖母做寿摆喜宴，作为寿星的奶奶也是不能上桌享受热闹的，只有儿孙们吃五喝六地闹腾一番，实在太过分了。

再次，以客为尊。中国一直有好客的传统。家里来了客人都会被当作一件喜事，不仅待客热情，搬凳让座，递烟上茶，还倾其所有张罗饭菜。吃饭时，不论客人的辈分和年龄如何，都要让其中一位坐在主宾位上。所谓主宾位就是主位右手边的位子。这与现在公务场合的坐法不同。官场里讲究左大右小。开会时官位最大的坐中间，然后根据左右顺序以官职大小排位。做会务时,最忌讳的是排错座位,如果把应该坐左边的排在了右边,会后领导不开心,免不了挨一顿批评。排主席台座位,领导人数是奇数的很好排,人数是偶数的就要注意了,一般遵循"以中为贵,以左为尊"的原则。如果主席台坐四人,具体位子应该是4-2-1-3。宴席场合则以右手边为大,宾客按尊卑长幼以主陪为中心,分右左依次错位落座。如果是公务接待,要先确定主陪和副陪的座位,主陪位就是正对门的中间那个位置,副陪位则是主陪位的正对面,也叫"买单位"。然后再安排贵客座位。一般主客坐在主陪的右手位,次客排在主陪的左手位;三客、四客分别在副陪的右、左手位;其他客人的位子可根据主方陪同人员的身份灵活确定,也可按职务大小从上首向下安排。

《黎芗有语》

历朝历代、从古到今,中国人从来都讲究座次,上到朝廷官员、下到黎民百姓,哪一头把座次搞错了,就是把身份搞乱了,招致的后果重则废官掉脑袋,轻则被人指责没家教,殃及父母甚至长辈。

筵席

寿辰、婚嫁、节庆、丧事等都要摆筵席,请人喝酒吃饭。尽管一个地方在同个季节食材没什么变化,但不同的场景上什么菜品还是有不少讲究的。

寿宴是晚辈为上了年纪的长辈过大生日专门设置的宴会。所谓大生

日,就是逢五逢十的生日,一般从五十岁开始。平常年份的小生日过得比较简单,最多吃一碗长寿面加两个鸡蛋。

寿宴的气氛吉庆祥和,点的菜一般与长寿有关,以博寿星欢心,并让参加者同乐。如果晚辈经济条件允许,寿宴的菜肴可以安排得非常丰富、高档,上到鱼翅、燕窝、鲍鱼,下到时鲜蔬果,各色酒水,应有尽有。但寿宴必须突出喜庆的气氛。比如宴会安排在饭店举行时,点的菜的菜名要尽可能体现主题,让人觉得吉祥如意。麻姑献寿、松鹤延年、福如东海、寿比南山、岁岁平安、花开富贵等都是非常切题的菜名。网上流传有新加坡前总理李光耀八十寿辰时的菜品,菜不多,只有八道,但寓意深刻,不仅是对李光耀个人的祝福,也是对他事业的赞颂。现抄录如下:

投桃报李满堂红(子母百福寿桃),寓意李光耀对新加坡建国的伟大贡献。

千龙聚首贺万寿(龙虾三文鱼拼盘),表达李光耀八十大寿寿宴的隆重。

松鹤延年情意长(珍珠鲍花旗参炖鸡),祝福李光耀健康长寿,赞颂他对李夫人的一往情深,并祝愿他俩寿长情更长。

百子千孙创大业(三文鱼蛋蚧皇时蔬),祝愿李光耀子孙世世代代为新加坡做贡献。

丹凤朝阳耀狮城(脆皮芝麻炸子鸡),赞颂李光耀为新加坡带来福气。

福如东海深有余(蒜蓉豉汁蒸鳕鱼扒),祝福李光耀福气有余,并把福气带给整个新加坡。

寿比南山连理枝(金菇九王寿伊面),祝福李夫人与李光耀一样寿比南山,结伴万年。

温情团圆满庭芳(汤圆红枣鲜百合),祝福李光耀全家幸福美满。

李光耀作为新加坡的开国总理,八十大寿的寿宴办得隆重热烈,表达了他的家人及新加坡人民对他的热爱和美好祝愿。对普通人家来说,为老人祝寿不可能做得那么尽善尽美,但也会精心策划和安排。寿宴上寿面、寿桃是必不可少的。寿面即长寿面,面条长而韧,寓意长命百岁,到场的人都要吃上一碗,一来祝福寿星,二来沾点福气。寿桃则要看季节,如果寿宴刚好在桃子上市季节举办,那一定会在餐桌上放一盆桃子,平时就用做成桃形的馒头代替了。

婚宴热闹隆重,充满了浓浓的喜庆氛围。大多数婚宴并不讲究食材的独特,只是凭经济能力确定菜肴的档次。现在各大饭店都有为婚宴设计的菜单,寓意十分美好。

农家的婚宴基本上在院子里或自家房子里举办。碰到下雨天或冬天,一般会在院子里搭一个棚,借来桌椅板凳、锅盆碗筷,根据参加的人数确定好桌数,请两个厨工烧菜,亲戚朋友当帮工,因陋就简就可以开筵了。婚宴的菜也是五花八门,以荤菜为主。为讨一个彩头,好多食材都是整个烧的,如全鸡、全鸭、全鱼加一个蹄髈。过去农民很穷,一年到头难得吃到荤菜,婚宴上的这些菜正合众人的胃口,于是婚宴变成了饕餮盛宴,直吃得大家满嘴冒油,肚皮滚圆。

丧宴,宁波人称之为"豆腐羹饭",书面话叫"斋饭"。丧宴的时间一定安排在去世的人入土以后。按宁波习俗,去世的人必须在咽气后第三天的午时三刻前下葬,所以丧宴大都在中午举行。参加丧宴的是至亲好友、隔壁邻居和帮忙干活的人。由于是丧事,大家心里悲哀,丧宴的气氛比较压

抑,少了欢声笑语和猜拳拼酒的热闹。丧宴的菜品并无严格规定,但少了表示喜庆的菜,多了素食,其中豆腐羹是必定要有的,其他如豆腐干、青菜粉丝、汤汤露露的菜会比较多。

农历年三十是一家人团圆的时光。晚上,家家户户都要摆年夜饭,家庭成员不论在什么地方工作,没有特殊情况都会回到老家,多则几十个人,少则七八个人,大家围坐一堂,团团圆圆,其乐融融地除旧迎新,美美地吃上一顿年夜饭。年夜饭其实就是团圆饭,这顿饭充分表达了中华民族家庭成员间互亲互爱的血缘亲情。家人团聚令一家之主在精神上得到极大的安慰和满足,祖辈、父辈看到儿孙满堂,小辈们事业兴旺、平安健康,心里充满了甜蜜和幸福。儿孙们也借此机会以敬酒或送祝福的形式向祖辈和父母表达感激之情。

年夜饭的菜谱,各家大同小异。宁波人的年夜饭菜单里有几样是少不了的:猪肉、鸡肉、鱼、虾、蚶子、海蜇皮(头)、咸蟹等,有些人家还备有鳗鲞、牡蛎、蛏子等海鲜。主食必备的是年糕和汤圆。年糕寓意年年高,祈盼新的一年生活更加幸福;汤圆寓意一家人团团圆圆,甜甜蜜蜜。

年三十,最忙碌的是母亲,当孩子们忙着放鞭炮的时候,母亲却在厨房里剁肉、杀鱼、烧菜、搓汤圆。这时,厨房里砰砰砰的切菜声、灶洞里哗啵哗啵的烧柴声,与院子内外的爆竹声、孩子们的欢呼声交织在一起,构成了除夕夜百听不厌的华丽乐章。

筵席上菜也有讲究。宁波人的筵席上一般先摆上八至十个冷盘,让大家先吃起来,后面的热菜烧一只上一只。菜品一般从副陪旁边的空隙端上桌,通过转盘转到主宾前面,让主宾先吃。如果有鱼,分菜的时候会把鱼头鱼尾分给主宾,表示对其尊重,也寓意有头有尾,有始有终。家宴也是如此,新上的菜放在最长者面前,以示孝顺。一般用餐时,鱼上来了,就意味着菜已经上完,筵席也接近尾声了。接着便是上汤、用主食了。

> ❀ 黎芗有语 ❀
>
> 寿宴与喜宴,菜品相差无几,要的只是一个热闹喜庆的气氛。于是创意者或秀才们就有了用武之地,极尽联想、想象之能事,取出顺人心、合人意的菜名,讨一个口彩、表一份心意,祝福老人福寿绵长,祝福新人百年好合。

喝酒

宁波人把喝酒称为吃酒。日常生活的一日三餐,普通人家很少吃酒;朋友聚会、红白喜事、客人到访,吃饭的时候则都会请吃酒。吃酒可不是闷着头自顾自吃那么简单,里面还有不少学问。不说一个人独饮,也不说三两朋友小酌,这里说说一群人围坐一起吃酒。

按长幼尊卑排定座次后,主人会端起酒杯起身致辞,这时大家都一同起立。宴会有主题的,主人会简明扼要地说说为什么安排这餐饭,没主题的就说两句身体健康、工作顺利之类的吉利话。话音一落,众人手持酒杯,一一相碰,一饮而尽。桌子大、人数多的,主人还要拿着酒杯走上一圈,与每个人的酒杯都碰上一碰,以示尊重和礼貌,这是开场酒。

开场以后，重新倒酒。传统的习惯是"浅倒茶、满斟酒"，茶不能倒得太满，只能倒八分左右，否则就是赶客了，而酒必须倒满，以不溢出杯口为佳，表示热情好客。然后主陪开始敬酒，一般从主宾开始敬，按顺序将在座的客人都敬上一遍，至于喝多喝少，要看主陪的酒量和风格了。酒量好又豪爽的，对每个客人都会敬上满满一杯，并喝到见底，酒量差的或想有所保留的，就随意喝了。主陪敬完后，才轮到坐在末位的副陪敬酒。当年我在某单位当办公室主任时，来了一批外地客人，我们领导非常好客，安排了一次宴请。开宴以后，领导还没敬酒，我作为副陪就开始敬酒了，结果领导当场就批评，说我不懂规矩，他主陪还没敬酒，哪有副陪先敬酒的道理。尽管我当时受了批评心里不舒服，但从此以后就记住了敬酒的规矩。待正、副陪都敬过酒后，其他陪同人员便可以自由敬酒了。客人们出于礼节，也会起身向主人一一敬酒，酒席上的气氛顿时便热闹起来。

陪同领导出差，接待方一般也很好客，喝酒肯定免不了。这种情况下，做部下的要掌握两条原则。一是保持低调。会喝装作不会喝，十分酒量只能喝到三四分，要留有余地。二是保护领导。带队的主官是当地接待的重点照顾对象，也是酒席上的主攻目标，容易被人灌酒，做部下的一定要有保护意识，必要时要为领导代酒解围，宁可自己醉也不能让领导醉，避免主官出洋相、失面子。中央"八项规定"出台后，一般公务活动宴请不安排吃酒，这种灌酒、代酒等情况也就可以避免了。但即使是喝饮料，必要的规矩还是要遵守的。在亲朋好友吃酒或重要场合需要吃酒时，作为小辈也要尽量保护好长辈。

农村家庭喝酒自由多了，但一些正规场合，如寿宴、年夜饭等，做小辈的必须起立走到长辈面前,双手举杯,恭恭敬敬地敬上一杯酒,并感谢长辈的教导养育之恩,祝福长辈健康长寿。兄弟朋友吃酒可以放开一点,有兴趣时可以猜拳,可以酒后胡言,可以一醉方休,但最好适可而止。醉酒伤身,酒后胡言乱语也容易伤感情。

黎芎有语

宁波人把喝酒唤作吃酒,一个"吃"字,道尽酒在口腔里、舌尖上或凛冽馥郁或醇香绵柔的回味,那是一个非常曼妙美好、极其细致悠长的欣赏和享受的过程,与"品"字形同姐妹、情如手足。小时候读《水浒传》,看见"吃酒去"的描写,顿时感觉一个"吃"字里,有多少英雄气概,多少豪迈侠义!

至于酒席上的礼仪,总有人遵守,有人破坏。最不堪的是以上压下、以大欺小的强行灌酒,"不喝不给钱、不喝不批项目"。多少人为了争取到资金项目,灌坏了身体、灌坏了胃。

也见过酒席上,有家长把孩子喜欢吃的那一碗直接从转桌上搬下来,放在孩子面前,让自家的孩子"吃独食"。其不懂礼仪规矩的行为,令人咋舌。

尊重别人的饮食习惯

萝卜青菜各有所爱。由于民族、宗教信仰、所处环境、家庭口味的不同,几乎每个人都有自己的饮食习惯,如回族同胞不吃猪肉,沿海一带的人喜欢吃海鲜,草原上的人喜欢吃牛羊肉,苏州无锡一带的人做菜喜欢加糖,宁波人吃得比较鲜咸,等等。有的吃惯了母亲做的菜,老是惦记着家里的味道,有的喜欢吃素,忌鱼腥、忌肉食,还有的因为健康原因不吃某些食品,这些饮食上的偏好都应当得到尊重和包容。

在招待客人、安排饮食时,应该尽量尊重客人不同的饮食习惯。比如,有回族同胞在的时候,要给他们上牛羊肉,绝对不要上猪肉。如果又是回族又是信仰伊斯兰教的,最好能安排清真食品。又比如,有些信仰佛教的居士,奉行吃素,长期不食荤腥,那么和他们同桌吃饭时就不要强迫人家吃鱼吃肉,让人家破戒。

宁波有几只特色菜,众人都喜欢吃。如臭冬瓜,我们觉得这气味很亲切,吃起来爽口。泥螺、呛蟹更是最爱,几天不吃就难受。可是外地人,特别是北方来的客人,闻到臭冬瓜的气味就觉得恶心,更遑论品尝。泥螺、呛蟹在他们的眼中是生食,又咸又腥,怎么吃啊?为了表示宁波人的客气,我们在安排饮食时,往往会将这些特色菜放上去,而且还会殷勤地介绍劝说,让客人尝上一口。客人觉得盛情难却,抱着试试看的心理,用舌尖舔一舔,啧啧味道。不吃不知道,一吃吓一跳。我亲眼看到过一位客人,舌头刚啧到臭冬瓜的味道,马上就皱起了眉头,嘟着嘴巴上洗手间去了。同理,如果让一个宁波人喝一碗老北京的豆汁,估计也要当场吐了,可北京人就是好这一口。

所以在饮食上还是众口众味好,不要勉强别人吃他们不喜欢的食物。

◈ 黎芗有语 ◈

不管在古代还是现代,饮食礼仪在中国文化中占有极重要的地位,而这些礼仪中,最重要的礼仪就是尊重他人的饮食习惯,有所食、有所不食,既热情周到,又不强人所难,让文明和修养的花朵在唇齿间次第开放。

使用筷子的禁忌

中国人使用筷子已经有几千年的历史了,在漫长的岁月里,筷子不仅作为用餐工具,一日三餐须臾不能离开,而且作为饮食文化的重要表征,附加了许多道德、习俗的含义。

一是筷子不能插在饭碗里。民间在祭祀时要上香,香一般插在香炉中间,许多香炉的造型像饭碗。在盛满饭的碗里插筷子,看上去就像在香炉里插香一样,好似在祭祀,这是很忌讳的。成年人一般不会做这种事,小孩子由于贪玩可能会做这个动作,做父母的要及时纠正,不能让其养成习惯。

二是筷子不能含在嘴里,并发出"啧啧"的声音。这是一种十分无礼的动作,有嫌饭菜不好吃,咽不下的意思,对餐桌上的其他人也是很不尊重的。如果到别人家做客,客人做出这样的动作,主人会很不开心。

三是不能用筷子指人。一边吃饭一边拿着筷子对旁边的人指指点点,是十分不礼貌的,被指到的人会以为是在骂他,更深层的含义是在咒人短

命,因此切忌做这种动作。

四是不能用筷子在菜盘里扒拉。有人为了寻找自己喜欢吃的菜,旁若无人,拿着筷子将整盘菜拨来翻去,搞得一塌糊涂,给人的印象是自私、邋遢、缺少教养。饭桌上要收敛,不能因为你喜欢就不顾他人感受,盯着一种菜吃,更不能挑拣一只菜里的某味食物。

五是筷子不能有长短。有一个词叫"三长两短"。有时会听到人家说"万一他有个三长两短可怎么办啊"。这"三长两短"其实是一句不吉利的话。出处大概是棺材的结构,因为棺材由两块短板、三块长板构成(不包括棺盖)。如果一只筷子长一只筷子短,年纪大的,又懂得"三长两短"出处的人,便会联想到不祥之事了。所以,桌子上放的筷子必须成双成对,不可参差不齐,也不可一只竹筷一只木筷,以免引起误会。

六是不能用筷子敲打碗盏。读书时,快到中午肚子就觉得饿,盼着下课吃饭。只等下课铃一响,我们便逃难似的奔向食堂,拿出放在橱柜里的碗筷,一手拿筷子,一手拿碗,边走边敲打,发出"乓乓乓乓"的声响,排队买菜去了。少年不更事,其实吃饭时是不能用筷子敲碗的。按老底子说法,用筷敲碗是"讨饭相",只有要饭的才用筷子敲碗,以引起别人的注意。还有一说是敲碗会敲光家里的财富,以后会变成穷光蛋。

❀ 黎芗有语 ❀

在我国,有文献记载的用筷历史至少有3000年。3000多年来,筷子不仅是中国人最基本的生活用品,同时也打上了深刻的中华文化的烙印。对国人而言,筷子是我们三餐都见的好伙伴,是从记事起就被父母教导使用的餐具,筷子的地位自是不必多说。孩提时代学习"团结就是力量"这句话的时候,老师曾举过"一根筷子容易折,十根筷子坚如铁"的例子,令人印象深刻。筷子还被赋予了诸多美好的寓意。例如古人嫁女儿要陪嫁筷子,寓意"添筷箸,定良缘"。文学作品里,筷子同样经常成为歌颂对象。所以,懂得筷子使用的禁忌、正确使用筷子是关于筷子的习俗的一部分,而它背后隐藏着文化密码。

送礼之道

中国人好礼,人际交往动不动就要送礼。重大的民俗节庆,重要的喜庆日,以至于日常的相互串门走动都会礼字当先,无往而不"礼"。

春节送礼重亲情

春节是中华民族最隆重、最热闹的传统节日。春节期间,家家团圆,人们走亲访友相互请客吃饭,畅叙亲情。在这种充满欢乐的日子里,礼品是绝对少不了的。

首先是晚辈给长辈送礼,以示孝敬。过去,礼品以干果为主,加上若干的糕点,如红枣、黑枣、胡桃、桂圆以及豆酥糖、绿豆糕、连心糕等。现在送的东西更多了,什么铁皮石斛、脑白金等滋补品以及烟酒茶之类的。反正过年前到超市跑一趟便什么都有了。也有一些比较有心的晚辈会根据长辈的需要,送一些特别的礼物。比如老人患有高血压的,便送上一台电子血压仪;老人耳背的,送上一副助听器;看到老人衣服旧了,送上一件新的,逗得老人开心得不得了。也有一些家庭的子女除送礼品外,还会给自己的父母送上数额不等的现金。如果子孙多,父辈、祖辈一个春节可以收到一万元乃至几万元不等的红包。

其次是长辈给小辈送礼,以示慈爱。最常见的是给压岁钱。一般在吃年夜饭的时候,爷爷奶奶和父母会给孙子孙女、儿子女儿发一个红包。我们小时候,父亲给我们几个未成年儿子的压岁钱只有几角钱,但都是崭新的纸币。我们按照大人的说法,当天晚上将压岁钱压在枕头底下,期盼钱生钱,第二天能多出一些来。可想而知,结果肯定是让人失望的。兴奋过后,这些钱便交给母亲保管了。我母亲也守信用,从不挪用我们的压岁钱。在我二十几岁的时候,这些小时候积存的二十几元簇新的角票、元票还原封不动地躺在衣柜里。现在的压岁钱可不得了,给小孩子的红包动辄几百上千元,出手大方的上万元也有。一个小孩子一个春节下来,收获少则几千元,多则几万元。其实小小年纪有这么多钱并不好,而且大额的压岁钱也违背了发压岁钱的本意。

新衣服也是给小孩子的主要礼物之一。过去大家都穷,平时穿的都是旧衣服或打了补丁的衣裳,穿新衣服几乎是一种奢望,只有到过年的时候,做父母的才舍得花钱买或做新衣服给儿女们。小时候,父亲给我们买的新衣裳必定要等到正月初一的早上才穿。新衣、新裤以及母亲做的新布鞋,加上新剃的头,一身簇新,兴高采烈地去拜年,蹦蹦跳跳地去玩耍,童年就这么过来了。

春节的一个重要内容是走亲访友,当然也免不了礼尚往来。礼品也就是些烟酒糖茶、保健品之类的。记得当时我家还遇到过一件送礼的尴尬事。有一年春节,我们家送了长辈一个大大的裱花奶油蛋糕。裱花奶油蛋糕在那时算是相当高级的礼品。许是长辈不舍得吃,恰好又有亲戚朋友上门走亲,于是转手送给了另一个亲戚。亲戚看是如此高级的礼品,在拜访下一户人家时又送给了那户人家,结果从初一转到初四、初五,一亲戚来我们家时居然又把蛋糕"完璧归赵"了。因为蛋糕送长辈时被放在桌子上,蛋糕盒底部的一角被我们小孩子沾过茶渍,所以再次拿到这盒圆圆的裱花奶油蛋糕时,父母亲都有些吃惊,估计拿到蛋糕的人家也没打开过,绑盒的绳结已然很紧,盒子的边缘甚至有些许的磨损。对我们小孩子来说,这可是一个大大的惊喜呀!我们趴在桌上,伸着脖子,睁大着眼,甚至还咽着口水等待父母亲打开蛋糕盒,可打开后却发现,上面裱的奶油花早已干裂,蛋糕上也出现了少许霉点。可以想象,当时我们的心情真像坐过山车一样,照现在的说法,那就是"断崖式"的失望呀!

端午担鹅送岳丈

端午是中国传统民俗中的一个大节日,本意是为了祭奠楚国大夫屈原投汨罗江,演变至今,全国普遍的习俗是包粽子、做香袋、划龙舟等。浙东地区除了这些,还有尚未成亲的毛脚女婿送端午担到未来岳丈家的风俗。当然,不仅仅是做毛脚女婿时要送,以后成了家、有了孩子仍要带着礼品,和老婆孩子一起到岳父母家过节。

端午担有一定的标准。从数量上来说,一般少则四色,多则八色。从品种上看,必须有大黄鱼二至四条、蹄髈一只、乌馒头八只或粽子若干,还要有一只脖颈和翅膀上涂了红颜色的大白鹅,再加些面、枇杷、香袋之类的。如果岳父好抽烟的,还要送高档香烟。另外也有送活鸡、肉类、滋补品的,反正上不封顶。因为送的东西比较多,所以要用担子挑着,俗称"端午担"。

送的这些东西都有一定的含义。鹅一生一般只有一个配偶,送鹅表示会对妻子一生忠贞。黄鱼,寓意年年有余,富贵吉祥。蹄髈就是猪蹄,谐音"朱题",寓意金榜题名。馒头,由面发酵后再制作,所以寓意"发",代表好运。

当女婿挑着沉沉的礼担进门,大白鹅不时地发出"昂昂"的叫声,岳父母高兴得嘴巴都合不拢了。为了表示对亲家的尊重,岳父母一般不会把女婿送来的礼品全部收下,而是将礼品分成两份。其中一份再加上自己准备的礼品,由女婿带回,回赠女婿的父母。

中秋月饼庆团圆

农历八月十五中秋节是中国人的大节日。但宁波人有点特别,中秋节不过十五过十六,倒不是俗话说的"十五月亮十六圆"的缘故,而是因为南宋宁波籍宰相史浩的一个典故。

据说史浩是一个孝子,每年中秋都要从临安赶回宁波与家人团圆。有一年,史浩回家途中因事耽搁了一天,回到家已是八月十六日了。谁知到家时,家人还在等他回来过节,于是他们家便将中秋节往后延了一天。因为史浩当时是名人,宁波人纷纷仿效,过中秋节的日子也渐渐地从十五变成了十六,并流传至今。

那么在中秋节,亲朋好友之间要送什么礼呢?毫无疑问,唱主角的肯定是月饼。月饼圆圆,既像满月,象征阖家团圆,口味又极佳,众人皆欢喜。月饼基本上分两种:广式月饼和苏式月饼。广式月饼源于岭南一带,特点是皮薄松软、色泽金黄、造型美观、图案精致、馅料名贵。苏式月饼大概源自苏州一带,特点是皮层酥松、馅料考究。广式、苏式月饼都有甜咸、荤素之分。现在月饼的品种更多,包装也更加精美了。中秋前夕,超市、商店以及大的酒店都摆满了各式月饼,令人目不暇接。我们小时候见到的大都是宁波本地产的宁式月饼。宁式月饼除了饼皮较硬,与苏式月饼相似,比较好吃的是苔菜月饼和火腿月饼。中秋节走亲访友前,先到南货店或农村的小店买上八至十二只月饼,用草纸包成"斧头包"便可以送人了。

除了送月饼,过去宁波北仑一带中秋节邻里之间还相互赠送"水贴(音塔)糕"。所谓"水贴糕",是用早稻米饭碾成米团后再发酵制作的,类似象山的米馒头。民谣是这样唱的:"八月十六中秋天,月饼馅子嵌嘞甜。新米蜂糕(水贴糕)红印添,四亲八眷都送遍。"

重阳送礼敬老人

农历九月初九为重阳节,"九"为阳数之极,两个"九"合在一起便是重阳。重阳期间进入了一年之中的最好季节,秋高气爽,硕果累累。人们登高望远,赏花饮酒,享受丰收的喜悦。"重阳"由于含有两个九字,暗含"久久""长久"之意,所以人们在这一天祭拜天地、祈愿长寿,于是这天就成了敬老尊老之日了。现在我们国家将重阳节设为老人节,本意大概也是祝老年人健康长寿吧。

"重阳担,挈只篮。"儿女们在节日里要给父母送上一只饼盆篮。饼盆篮为圆柱形或长方形,由木制竹编,漆成暗红色,由好几层组成。每层都要放上吃的用的,如一层放红纸包着的现金,二层放重阳糕,三层放酒,四层放上几只大闸蟹,还有一层放一块布,意为父母的吃穿用度都有了。

这里特别介绍一下重阳糕。重阳糕,又称花糕、发糕,以米粉、豆粉为原料,发酵后在面上点缀枣粒、杏仁、瓜子仁,加糖蒸制,再撒上红丝、绿丝及桂花。重阳糕色香味俱全,令人垂涎。

当然,孝敬老人,特别是自己的父母亲,并不只在重阳这一天,而应当体现在日常生活中。平时常回家看看,为老人做些家务,买些老人爱吃的东西,并与老人聊聊天,拉拉家常,使老人过得快乐满足,才是孝的真谛。

婚庆送礼贺新人

亲朋好友及其子女结婚是天大的喜事,理应表示祝贺。祝贺只停留在口头上是远远不够的,也要有物质上的表示。

过去,听到亲戚朋友或同学要结婚了,收到邀请的人基本上考虑送实物,至于送什么则颇费一番心思。当时人们收入低,社会上供应的商品也不丰富,有的送一对热水瓶,有的送一套餐具或一套茶具,有的送一对大红颜色并绣有鸳鸯的枕头,也有送一块布、一本相册的,很少有人送现金红包,即使送也只有几十块钱。但礼轻情意重,新婚夫妇十分珍惜,会长久地保存着。多少年过去了,某一天见到某一件用品,夫妻俩还会想起这是某人在自己结婚时送的。比如我结婚时单位的同事送的一对蚌壳制成的工艺摆件,至今仍然被好好地保存着,一看到这个摆件,同事的身影便会浮现在脑海中,美好而隽永。

现在婚礼的规模越办越大,规格越来越高,随之,送礼的内容与形式也发生了根本的变化。送实物的不再多见,每个人都怀揣一个红包,兴冲冲地去参加婚礼,见到新郎新娘或其父母,一边满面笑容表示祝贺,一边把红包硬塞给他们。至于红包里现金的数量,则要看各人的经济条件和与祝贺对象的亲疏关系,但无论多少都是一片心意。有些农村青年的婚礼上,收礼就比较直接了,现场门口放两张桌子,由专人负责收礼。某人进来放下礼金,当场点数清楚,并大声报告"某某送贺礼多少元",一边有人记录在案。这么做的好处在于账目清楚,便于日后还礼,但也使人尴尬,尤其是送得少的人,面子上会下不来。听说现在婚礼送礼还有直接现场扫二维码,通过微信、支付宝转账的,转账留言也能让新人搞得清谁送多少呢。

结婚送礼是人之常情,可是做公务员的,特别是当领导干部的,子女结婚时可一定要把好关,不可贪图钱财,坏了党的纪律和规矩。

添丁送礼祈平安

怀孕分娩是人生的一大喜事,有喜事,众人就要祝贺,祝贺人家的添丁之喜,祈愿母子平安。祝贺除口头表示之外,还要送上合适的礼品。

送母子的礼品有所不同。送产妇的一般以有利于产后恢复以及分泌乳汁的食品为主,如土鸡、土鸡蛋、野生甲鱼、鲫鱼、面食、水果及其他营养品。有人喜欢送鲜花,其实并不妥,有些人对花粉过敏,做产时身体虚弱,容易引起不适。送婴儿的,主要为了表达一个祝福,可以送些寓意吉祥的小物件,如金锁片、金项圈、玉如意、玉手环之类的,也有送实用品的,比如纸尿裤、衣服鞋袜、洗浴用品等。也有送奶粉的,但是现在的婴儿基本上提倡母乳喂养,不太吃奶粉,而且不同品种的奶粉对应不同月份的婴儿,送的不一定用得上,所以奶粉还是不送为好。当然也有直接送现金的,让产妇家自己买点需要的或喜欢的,这是最省心的送礼,但感觉少了一些热闹。

上门看望产妇,有些人看到婴儿喜欢得不得了,会情不自禁地去亲一亲、抱一抱,这对婴儿健康非常不利,容易让其感染细菌、病毒,可能引发疾病,增添不必要的风险。

生日送礼祝长寿

宁波人做寿办筵席,有三个不成文的规矩。一是五十岁之前不办,认为自己年富力强,还没到"寿";二是父母健在的不办,怕折了父母的寿;三是做"九"不做"十",大概"九"有长久的意思,也由于宁波人讲"虚岁",要与"周岁"有个区别吧。

五十岁之前我们一般说过"小生日",无非是当天家里多炒几个菜,买一只蛋糕,喝几杯酒,吃上一碗长寿面,配偶子女祝贺一下,形式比较简单。上了五十岁就是进入下半辈子了,有些人感到有必要在逢"五"逢"十"的"大生日"时庆祝一下,享享天伦之乐,会会亲朋好友。也有些人不喜欢做寿,认为做一次,人生就缩短了不少,还是糊里糊涂的好。但亲戚朋友却认为,到了一定年纪就需要祝贺一下,会主动上门帮忙做寿。所以宁波有句老话叫"请吃酒,揩拜生",意思是办结婚喜酒要主动上门去请人家参加,而上了年纪的过生辰,则是要别人主动上门来祝贺。

参加寿宴当然也需要送礼。礼品既要实用又要寓意美好。按老派规矩,寿礼有寿幛、寿桃、寿酒、寿面、寿屏等。寿幛是一副中堂对联,写吉语贺词,如"福如东海长流水,寿比南山不老松"等;寿桃,有的用鲜桃,多数则用面粉制成;寿酒,一般为桂花酒、菊花酒;寿面,要求根根都在三尺以上,而且要盘成塔形;寿屏则是一幅画,一般画的是梅兰竹菊、仙鹤、梅花鹿等吉树祥兽。

现代社会,祝寿已经很少送这些礼品了,送的除红包、金银饰品外,还有送吃的,如蛋糕、烟酒、铁皮石斛、冬虫夏草、灵芝胶囊等,送用的,如衣服、血压计、拐杖、老花镜、助听器、轮椅等。对喜欢运动或花花草草的老人,还可以送钓鱼竿、爬山杆或者铁树、佛手、龟背竹、万年青、兰花等寓意幸福长寿的花草。总之祝寿是为了让老人开心,要用心挑选一些符合老人心意的礼物,让老人得到精神上的慰藉。

日常走动伴手礼

"伴手礼"原本是指出门在外,在当地采买的,回家时馈赠给亲朋好友或左邻右舍的小礼品。现在则指日常走访时随身携带的礼物。中国社会人情味浓,讲究人情往来,空着手到朋友家做客显然不够礼貌,所以一般上门时都会准备一两件礼物以表心意。

伴手礼不在乎价值高低,所谓"礼轻情意重",只要心意到就行了。宁波人经常送的有茶叶、桂圆干、红枣以及土鸡蛋、霉干菜、笋干等土特产。当地时令水果上市时,也经常会送草莓、枇杷、桃子、橘子等。这几年象山的柑橘新品种"红美人"因其外形美观、酸甜可口、皮薄汁多、品牌响亮,深受人们的欢迎。立冬以后,日常送礼以一盒"红美人"为时尚。当然,大多数人并不追求时尚的礼物,只是从礼节方面考虑,走访时带上一两件小礼物。其实走访的对象也并不看重客人所带的礼物,有时客人带了礼物来,主人还会有一定的压力,经常要几番推辞才勉强收下,之后还要考虑礼尚往来,以后到别人家去也不能空着手,要随带恰当的礼物。

托人办事礼要轻

人生在世免不了会碰到困难,自己解决不了就要找亲戚朋友帮忙,亲戚朋友也解决不了就要七拐八弯地找能解决问题的人来帮忙。找人帮忙办事,不仅态度上要谦卑,言语上要致谢,事成之后也要送一些礼物以表心意。很多亲戚朋友可能事后会说"自己人,谢什么"或者"一点小事,不足挂齿"以谢绝礼品,而被帮助的人总希望对方能收下礼物,一来是真心感谢,二来是觉得对方收了礼,自己也就少了一分亏欠,还了一份人情。

中国是个人情社会,亲朋好友有事相求,碍于面子或种种原因无法推辞,帮了忙收礼也会感觉是一种压力,尤其是送礼演变到今天,已经成为一种潜规则。重要的事必须送重礼,一般的事也要送礼,帮什么忙办什么事都要送礼,不送礼似乎什么事都办不成。比如生病动手术,医生明明已经拒绝了红包,但病人家属就是不放心,担心主刀医生、主管护士如果没收礼就会对病人不负责任,马虎了事,只有收了红包,他们才相信医生护士会全心全意对待病人。又比如为子女找工作时托人介绍,与领导打招呼,到人家那里又是送烟酒又是送冬虫夏草等,有的甚至直接给一个装了钱的信封说:"你也要请客吃饭、打点左右,先拿着用。"更有甚者,某些企业经营者为了承包某个工程、获得某块土地的使用权,或为了获得某个政府采购项目,到领导的办公室或家里重金相送,贿赂领导以牟取自己的私利。这些做法都有悖法律法规,有违中华传统道德,害人害己。

凡人都有七情六欲,有一些三教九流的朋友不奇怪,托人办事也情有可原,托熟人包括同学、亲戚朋友办事也正常。但相托的事要有分寸,送的礼要知轻重、讲规矩。可掌握几条原则:违反法律法规的事不托,让人家为难的事不托,影响公平公正的事不托,会引起不良社会反响的事不托,影响人家进步的事不托。受托之人也要讲原则、轻亲情,尤其是不能收现金、贵金属、高档滋补品、高档烟酒等,做到纪律在心、法纪在胸。

当然,作为亲戚朋友,也不能一点不讲人情。本人认为,作为领导或家境比较好的人,如果有人找上门请求帮忙,如何对待一定要有明确的界限。看病找医生可帮,家有急难可帮,生活困难可帮,有违原则的事绝对不能帮。亲戚朋友请托所送的礼金礼物,必须全数退回,保持清白。

丧礼送纸表哀悼

亲人去世,不管是长辈、平辈还是晚辈都十分悲痛。如果是至亲、至爱或者挚友的噩耗传来,闻者往往哀恸不已,甚至泪流满面。然后便要考虑如何奔丧,如何准备丧仪了。

送丧仪是有一定规矩的。按宁波人习俗,遗体放三天就要火化或下葬,因此亲眷们必须在三天内准备好丧仪并送达。丧仪以冥品为主,送的有成百上千的锡箔、念过的经文、重被等。

现在单位里的老同志去世,在殡仪馆举办遗体告别仪式,单位和同事送的基本上是花圈,花圈的两边缎带上一般写的是"××同志(或职务头衔)千古 ×× 挽"等字样。亲戚朋友送的挽联内容就丰富了,比如"一生俭朴留典范,半世勤劳传嘉风""一生行好事,千古流芳名""高风传乡里,亮节昭后人""永垂不朽,流芳百世,遗爱千秋,含笑九泉,天人同悲"等,无一不是表达对逝者的追思,对后人的昭示。

送丧仪时一定要庄严肃穆,眼含热泪,脸露悲切,衣着缁色,行步稳重。现场哀悼的,必须在遗体、遗像前三鞠躬,以表达深切哀悼。

> 黎芎有语

婚丧喜事送礼的规矩在各个地方各有异同,但是丧礼之后不送礼却基本是一样的。参加丧事活动既是对逝者的尊重,也是对逝者家属的安慰,所以,没有特殊的情况,不但不能缺席,而且要把握好时间点。比如说,一户人家办丧事,你既不能提前也不能延后送丧礼。可以想象,假如人家备办的丧事还未尘埃落定,你提前把丧礼送去,多不吉利啊;如果人家丧事的主程序已经过去,你才送丧礼过去,更是不顺遂了,难道人家一波未平,一波又起,还有丧事要继续办吗?

老底子办丧事要向亲戚朋友"把信",嘴上没毛的人不能承担这件事。"把信"的人一定要表述清楚哪天有事,哪天是正日,什么时候正式举行仪式。如果"把信"的人打马虎眼,有脑筋的亲戚朋友也会主动问个一清二楚,日子千万不能搞错。如果因故错过了日子,也只能让它过去,可以口头打个招呼表示歉意,但千万不可多此一举,以任何形式补上人情。因为丧事一过,主人需要调整心情,尽快从阴影中解脱出来,如果别人重提旧事,势必会再度惹起悲伤。可以说,你当时没去只是一怪,事过之后再去,并做了不伦不类的事情,会火上浇油,说得严重点,这是在"做害"人家。其实,丧事过后不作兴再送丧礼并没有什么迷信色彩,完全与情相容,与埋相符。

菊花不送人

小时候读唐末农民起义领袖黄巢的咏菊诗,印象深刻。老师说这首诗表达了农民起义领袖推翻腐朽没落的唐王朝、改天换地的豪迈气概,我心里却对此诗充满了恐惧。诗曰:"待到秋来九月八,我花开后百花杀。冲天香阵透长安,满城尽带黄金甲。"全诗充满了浓浓的杀气和唯我独尊的蛮横,把好好的菊花也给糟蹋了。以后念起这首诗便会联想到长安满城百花凋零,一花独放,一派肃杀,满目凄凉,连带对菊花也没有了好感。

其实菊花是极有风骨的花卉之一。每当秋风萧瑟,万花凋零,唯菊花傲霜而立,绽放枝头,给大自然增添了亮丽的色彩。陈毅元帅曾赋诗盛赞秋菊:"秋菊能傲霜,风霜重重恶。本性能耐寒,风霜其奈何。"以此隐喻中华民族之气节。

经过长期的培育发展,至今菊花的品种已达3000多种。人们喜爱菊花、咏菊、画菊,在菊花身上寄托美好的情感。战国时屈原作《离骚》,其中有"夕餐秋菊之落英"之句。三国时钟会作《菊花赋》,认为菊花是由天地之气交感而生,是天道的象征。东晋陶渊明的名句"采菊东篱下,悠然见南山",描绘隐士隐居在乡野的悠然自得、自由自在。唐代白居易的《咏菊》里也有"耐寒唯有东篱菊,金粟初开晓更清"的句子,把菊花比喻为品行高洁之人。宋代李清照的名句"东篱把酒黄昏后,有暗香盈袖。莫道不消魂,帘卷西风,人比黄花瘦",黄花便是菊花,以菊花寄情,表达了诗人对久别丈夫的思念和独守空房的伤感。菊花还被赋予了吉祥长寿的意蕴。中医认为菊花是养性上药,能强身延年,被誉为"寿客"。现在人们利用菊花的这种药性,将菊花采下晒干,用来泡茶,成为清肺去火养生的上品。

菊花比较容易栽培,一般以扦插为主,每年清明前开始扦插。宁波人大多在梅雨季节分株及嫁接,如果考究一点,在夏天要进行摘心、抹芽,以防止其长得过高,并增加分枝。到了秋分以后,盆栽的菊花便长满了花蕾,寒露以后,便陆续开放了。如果这时举办菊展,人们可以欣赏到各种颜色、各种形状的菊花,有匙球型的、荷花型的、芍药型的、钩环型的、松针型的、翻卷型的、龙爪型的等,还有墨菊、绿菊之类的,朵朵争奇斗艳,美不胜收。

外观美丽、寓意美好的菊花为什么不能送人呢?原来是菊花常常出现在葬礼上、墓碑前,菊花的高洁品格、坚贞风骨作为先人的象征,寄托了后人的哀思,表达了后人继承遗志的决心。所以,人们忌讳用菊花送人。收到菊花,看着美丽,心里则不是滋味。

米缸没米要说满

过去,种田人经常吃不饱饭,家里虽有米缸,但装不满。每个月,家庭主妇都要精打细算,早吃稀,中吃干,晚上吃半干半湿,经常还要以番薯、马铃薯及瓜菜代粮,勉强可得温饱。

尽管如此,看到米缸里的米一天天少下去,心里还是时常发愁。如果哪天米缸见底了,那就断了生计,再听到有人在旁边说"没米了,没米了,米缸都见底了",当家的肯定一脸漆黑,而且马上纠正:不能说没米了,只能说米缸"满"了。

说米缸"满",一是心中有期盼,盼望每年风调雨顺,五谷丰登,米缸经常满满的,全年都能吃上饱饭。二是给儿女们一个安慰,让他们心里踏实,不会因担心吃不上饭而愁眉苦脸、影响情绪。三是暗示男当家的,家里快揭不开锅了,赶紧想办法搞点粮食来。

我小时候家里的米缸也经常见底,母亲便会说米缸满了,夜饭米没了。

好在我们家有一个谷柜，里面有陈谷，轧米厂又在家旁边。于是，母亲会叫我们打开谷柜，畚出一箩陈谷来，抬到轧米厂，赶紧轧成米，如此晚上便又可以吃饱饭了。

其实我们小时候，挨饿是常有的事，也因为吃不饱，肚子里空荡荡的，胃口特别好，那种红花碗一顿就可以吃三大碗。为了弥补口粮不足，番薯饼、倭豆饼、大麦粥、番薯粥、南瓜粥等都吃过。这种东西现在都成了养生保健食品，甚至比米饭还受人欢迎，可在那时大家最喜欢的还是大米饭啊！所以米缸满不满，实在是太重要了！

别当着别人的面打骂孩子

小孩淘气不听话,甚至做了错事,做父母的予以训诫,这在情理之中,完全可以理解。但有些人脾气暴躁,控制不了自己的情绪,火气一上来,就不顾场合对孩子又是骂又是打,全然失了体面。其中最犯忌的是当着别人的面打骂孩子。

场景是这样的:做父母的铁青着脸,喘着粗气,爆着粗口,手一下一下地打在孩子身上。孩子则呼天喊地,大声哭叫。旁边的人则一脸尴尬,劝又劝不了,走又走不掉。这样的行为至少有"三失":一是失了自己的面子。暴露了自己粗鲁的性格、低俗的修养。二是失了朋友同道的面子。打在你孩子身上,难受在人家心上,人家会觉得你不尊重他们,甚至是侮辱他们。三是失了孩子的自尊。八九岁、十几岁的孩子一般比较敏感,你当着别人的面打骂他,他会觉得失了面子,以后在外面抬不起头来,对他们稚嫩的心灵是一个很大的打击,严重的可能还会留下心理阴影,产生自卑感。

　　小孩做错事,正确的做法应该是先心平气和地找孩子谈,向他问清楚犯了什么错,为什么犯错,主客观原因是什么。如果是客观因素造成的,应当告诉孩子以后碰到类似的情况如何处理。如果是主观因素导致的,就要严肃批评,予以必要惩戒,让他牢记教训,以后不再重犯。但教训孩子时,如果有客人或同事、朋友在,就是有再大的火气,也要忍耐下去,对别人仍要笑脸相待,不可怠慢,事后回到家里问清楚情况,再做处置也不晚。

夫妻吵架不劝架

夫妻两人长期生活在一起,而且绝大多数会相伴一生。夫妻关系如何会直接影响生活质量。有人说,我们两夫妻从来没有红过脸、吵过架,相敬如宾,恩爱异常。我相信有这样的夫妻,但现实生活中,这样的夫妻实在太少了,反而是磕磕碰碰、吵吵闹闹的不在少数。但这并不是说这对夫妻不恩爱,要散伙了。其实好多夫妻习惯了吵闹,吵闹声中有恩爱,在吵吵闹闹中相伴到老。当然也有夫妻因为性格不合而吵闹的,甚至大打出手后离婚的,但这只是极少数。

那么夫妻吵架,旁人看到后应该怎么办呢?最好的办法是听之任之,不劝架、不介入。俗话说"一日夫妻百日恩",上半夜吵、下半夜好,夫妻吵上几句,打几个钟头的冷战,不久两人便又有商有量、出双入对了。如果外人介入,劝哪方都不妥,都有后续风险。

首先,"公说公有理,婆说婆有理""清官难断家务事",外人不一定清楚夫妻吵架的真正原因,不分青红皂白地劝架肯定出问题。其次,帮谁都不好。如果帮着妻子劝丈夫,丈夫想明明是她无理取闹,你还帮着她,就会对你有意见;如果你是男的,说不定还要被他怀疑,你和他妻子的关系是否正常。如果帮着丈夫劝妻子更不行,妻子认为是丈夫联合外人欺负她,委屈更大了;如果你是女的,祸会闯得更大,也会被怀疑你与她丈夫有一腿,到时你跳进黄河也洗不清了。另外还有一种情况,夫妻吵架你劝架,为了抚慰某一方,也附和这方说对方的不好,没想到不久后夫妻俩和好了,这方如果把你当时说对方不好的话都讲出来,那夫妻俩反而把你"难看掉了"。

经常有这样的夫妻,本来吵架的气势并不旺,见外人来劝架,便闹得越来越凶,甚至动起手来。这种两头不讨好、里外不是人的和事佬,被宁波人形象地称为"郯力不勿好,阿黄揉年糕"。夫妻俩吵架结束后,作为一方的好朋友,倒是可以单独将他(她)拉出来或喝茶或逛街,谈谈心,劝说一番,加以适当的安慰,使他们的夫妻关系更加牢固。

黎芗有语

有位哲人说过,没有冲突的婚姻和没有危机的国家一样,几乎无法想象。由此看来,夫妻之间吵架的确很正常。家庭生活中,很多事情原本就没有对错,也不涉及原则性问题,所以,吵架一定要有分寸,就事论事,如果实在没有结果,那么不妨暂时偃旗息鼓,冷静下来再处理。失了分寸的吵架,就是无理取闹;失了分寸的吵架,可能会让婚姻土崩瓦解。于外人来讲,眼开眼闭、戏法随其、不予劝架,恐怕也是最明智的选择了。

问岁数有学问

中国人见面交谈经常喜欢问年龄,既是寒暄,也可能是出于好奇。但问年龄有学问,有不少需要注意的地方。先来温习一下古代对不同年龄的称谓。

对婴幼儿时期的各类称呼:孩提、总角、垂髫之年(古代小孩头发下垂,引申指未成年的人)、黄口。

十岁:幼学。

女孩十二岁:金钗之年。

女孩十三四岁:豆蔻年华。

女孩十五岁:及笄。

女子十六岁:碧玉年华。

女子二十岁:桃李年华。

女子二十四岁：花信年华。

男子二十岁：弱冠。

三十岁：而立。

四十岁：不惑。

五十岁：知天命。

六十岁：耳顺、花甲之年（我国古代用天干地支纪年，可组成六十对干支，因而称作"六十干支"或"六十花甲子"，所以六十岁又称作"花甲之年"）。

七十岁：古稀之年。

八十岁：杖朝之年。

八九十岁：耄耋。

百岁之人：期颐。

这么多的年龄称谓，现在有许多用不上了。但也有不少会随口而出，比如年纪大的看不起年轻人会说：黄口小儿知道些什么呀。看到女孩刚刚长大又很漂亮，会说：真羡慕你，豆蔻年华。过了三十岁会说：我已经过了而立之年，还一事无成，惭愧。当然现在问年龄，人家绝对不会再故弄玄虚，回答你"我已弱冠""我正好及笄"，而是直接说出我多少岁、我出生于几几年或说我属相是什么，提问者一听便知道此人的年龄了。但问年龄还是要掌握必要的技巧，否则容易引起被问者的反感，造成不愉快。

一是向不同年岁的人提问，句式有严格的区别。如向二十岁以下的孩子提问，可用"你几岁呀"或"你多大了"，绝对不能将这种提问方式用到年

纪大的人身上。如果对一个六十多岁的人提问"你几岁啦",轻者,人家翻翻白眼,不予回答,重者,一顿教训,说你不尊重老年人,缺少教养。对四十至六十岁的人提问,可用"您今年多少年纪呀",对尊者提问可用"您贵庚",对七十岁以上的老年人应该问"您高寿"。二是不问女士年龄,这好像是世界上通行的做法。女士都希望永远年轻漂亮,害怕人老珠黄,因此年龄成了她们的秘密之一。男士碰到女士,尤其是不大熟悉的女士,最好说些赞美的话,如你真年轻、真漂亮之类的,千万别询问她的年龄。如果你不小心问了对方年龄,对方是热情温柔的,可能给你一个冷笑;稍微有些性格的,便给你一个大大的白眼,你就自讨没趣了。三是不问老年人的年龄。人到了八九十岁都没活够,期盼着能活过一百岁,活得越高寿越好,这种年纪的人好多都忌讳讲自己的年龄。问他们多少年纪时,他们会说"我自己也忘了"。自己忘了,最后阎王也忘了他,所以你问他年纪,他心里有抵触:我说了自己的年龄,你们都知道了,阎王爷也知道了。阎王会觉得已经让我活得够久了,说不定哪一天就把我叫走了。所以见到八九十岁的老人,就不要问年纪了,祝他们健康长寿就行了。

黎芗有语

在中国文化中,年龄一直是敏感问题之一,所以问这个问题的时候,双方都是比较介怀的。因而,中国古人讲年龄远要比现代人委婉、讲礼仪。古人询问别人年龄通常有以下几种情况:1.与自己年龄相仿的:请问年兄贵庚?请问令弟年齿多少? 2.长辈:不知令堂或令尊春秋几何? 3.女性:请教小姐芳龄?小姐芳龄几许? 4.比自己年长却不是长辈的:请教先生贵庚？在回答的时候也很有意思,《礼记·曲礼下》记载,若有人问天子的年龄,应该回答:"听说开始穿多长的衣服了。"若问国君的年龄,如果国君年长,就回答:"能主持宗庙社稷的祭祀了。"如其年幼,就回答:"还不能主持宗庙社稷的祭祀。"若问大夫之子的年龄,若其年长,就回答:"能驾驭马车了。"若其年幼,就回答:"还不能驾驭马车。"若问士人之子的年龄,若其年长,就回答:"能接客传话了。"若其年幼,就回答:"还不能接客传话。"若问庶人之子的年龄,若其年长,就回答:"能负薪了。"若其年幼,就回答:"还不能负薪。"总之,得到的答案顶多也就是个大概。

建房要留三尺缝

　　造新房本来是一件十分开心的事，可是如果邻里关系协调不好，也有可能闹得不开心，甚至遗憾终生。村民建房用的是自家的宅基地或是旧房推倒重建，要怎么造、造多高多宽，全凭本人意愿和土设计师的设计，外人本来不应该干涉。但由于村民居住相对集中，各家各户基本上都是前后有邻、左右有舍，造新房就免不了会影响到隔壁邻舍，其中风水、采光、行道是邻居们最关心的因素。如果新房占了人家的风水，墙脚占了人家的行道，高楼挡了人家的阳光，那么双方就会产生矛盾和纠纷。如果不对设计方案加以调整，房子很难建起来。即使强行建造，也会留下很多后遗症，好邻居肯定会变成死冤家。

　　这方面的例子，古时候就有，现在也不少见。大家都知道安徽桐城有一处名胜叫"六尺巷"，是清康熙年间大学士张英的府邸所在。当时张英家人为重修府邸，曾与邻居吴氏发生争执，还为此写信给在京当官的张英，请他出面摆平此事。张英毕竟是当朝宰相，收信后回诗一首："千里送书只为墙，让他三尺又何妨。长城万里今犹在，不见当年秦始皇。"张英家人接到书信后，深感惭愧，造房时主动退了三尺，吴氏见状也主动退了三尺，遂成了保存至今的"六尺巷"。这种相互谦让的美德，成为中华优秀传统文化的重要组成部分，流传至今。

可也有互不相让，争得头破血流的例子。两户人家，一家姓张，一家姓王，张家住东边，王家住西边，两家关系一直非常融洽，时常互相关照。张家因为儿子大了，要考虑结婚，打算拆了旧房，加上前面的空院子重造新房。王家也觉得很高兴，帮忙操办有关事宜。可待房子造到大半，王家发现张家的新房高过自己的房子，心里有了疙瘩。首先是王家老母亲嘀咕起来，并对张家说："你家房子造得太高，挡了我家阳光，占了我家风水。"张家则说："这是我家宅基地，而且是按设计图造的，没办法改。"见张家无动于衷，王家便倾巢出动，强行阻止新房施工，两家闹得不可开交，最后不得不请来村干部协调，并以张家修改设计方案、降低房子高度收场。几十年的邻居交情因此终结，两家从此以后互不往来，成了冤家。可见造房子时协调邻里关系是多么重要。

建房子对一户家庭来说是大事喜事，要顺顺利利办好这件事还是要讲风格、会协商，并遵循一定规矩的。俗话说"远亲不如近邻"，首先要充分考虑造房子给邻居带来的影响，包括是否影响人家的采光、风水、视野、出行等，宁可自己吃点亏，也要尽量多为别人着想。其次，要征求邻居的意见，如实告知所造房屋的高度、深度，并根据他们的意见适当修改方案。现在宁波一带的农民建房，政府在审批宅基地和设计图时都会让四周的邻居提意见，这就避免了许多矛盾。再次，四周墙体不能与邻居房子靠得太近，要留出必要的间距。至于具体的距离，法律上倒没有明确规定，但按农村通行的做法，一般要离别人家的墙三尺左右，便于双方通行和维修。

别对着和尚骂贼秃

"对着和尚骂贼秃"是一句俗语,说得文雅一点叫指桑骂槐,表面上骂这个人,头上实际上骂的是另一个。和尚要剃度,头发剃得光光的;秃头则是一种病,头上不长头发。"贼秃"并不是说此秃头是贼,只是人们对秃头的一种蔑称。和尚在场,你却指着秃头骂"贼秃",和尚听了肯定以为你在骂他,会很不舒服。或许你借骂秃头,真的在骂和尚,那和尚听出味道后就更生气了。

现实生活中,的确有人做这种指桑骂槐的事。比如某人对某同事有意见,不好当面说,憋在心里又难受,于是瞅准一个机会对着自己的部下或身边人发起火来,但说出来的话又是句句针对那个同事的,不明就里的还以为是在批评他自己的部下或身边人,明白人一听就知道此人骂的是谁了。可偏偏那个同事又不能站出来说话,只能强压怒火,相互间的怨就结下了。

对着和尚骂贼秃是一种非常不厚道的行为,有悖社会公德和为人的品德,不利于团结和谐。同事之间、邻里之间应当坦诚相见,有意见可以当面说,说清楚了,便能冰释前嫌,用不着拐弯抹角、旁敲侧击。如果面对面交流有困难,也可以通过第三方转告对方自己的想法,并让第三方做些调和工作。其实同事也好,邻居也好,都是抬头不见低头见的人,没有调和不了的矛盾,只要大家都能气量大一点、包容一点,什么事情都能解决,用不着对着和尚骂贼秃。

与女士打交道不要太随便

中国古代讲究"男女授受不亲",陌生男女之间是不允许有身体接触的,甚至男女之间见面讲话也比较忌讳。现代社会早就摒弃了这种愚昧落后的观念,男女一起工作,干在一起、吃在一起、玩在一起,相处十分融洽,有句话说"男女搭配,干活不累"。但从女士优先、尊重女性的角度来说,与女士打交道,还是要把握一定的分寸,尤其是在正规场合,不可逾矩。

与女士握手要有度

在官方场合或商务活动中,人们相互之间握手是起码的礼仪。与男士握手忌讳比较少,但与女士握手则有不少讲究。男女握手要女方先伸手,表达握手的意愿,男方才能伸出手去相握。两手相握时,男士一般只握女士的手指部分,而且不能用力,停留时间不能过长,掌握在二至三秒,点到为止。握手时要伸右手,手上不能拿着东西,更不能戴着手套去握。

与女士说话要半开着门

现实生活中一男一女单独相处的机会很多,比如谈话、研究工作等,这是很正常的。但是,男女关系是人们茶余饭后津津乐道的话题之一,如果一男一女单独相处的时间过久,次数又有些频繁,难免有好事之徒发挥想象力,往两性关系上揣摩,添油加醋,背后议论,然后便是一传十、十传百地流传开来,好像这两个人真做了什么见不得人的事。为了避免引起别人不必要的猜疑,保护自己和对方,男女单独在办公室说话时不要把门关死;如果谈话内容比较重要,不想让别人听到,可将门留一条缝,以示磊落。

不要长时间盯着女士看

爱美之心,人皆有之。看到美丽的、气质高雅的女性,不少男人会情不自禁地多看几眼,这是最自然不过的,可看美女一定要有度。第一,不能长时间目不转睛地盯着看,看得人家心慌不安,让人觉得你没有礼貌和教养。第二,不能带着猥琐的神情看,有些男人看女人的眼光色眯眯的,不仅看人家的脸蛋,还盯着人家的敏感部位看,看得人家面红耳赤、十分尴尬。这种男人色心太重，很容易引起女士的反感，被女士唾弃。第三，几位女士一起时，不能光与某一女士说话。女士们心细又敏感，如果只与其中一位聊得热火朝天，对其他几位不理不睬，非常容易引起误解，也是对人的不尊重。

正确的做法应该是，对女士的欣赏要放在心里，不可表露得太过分，看人的眼光要纯洁，不能心存邪念。多位女士同时出现时要一视同仁，不要太偏向于某人。总之，在对待女士时要体现君子气度、绅士风度。

不打听别人的收入

"男不问金,女不问岁",这似乎是国际通行的规则。欧美国家如此,中国也是如此。收入状况作为一种隐私,多数人都不喜欢被别人打听,这里有多重原因。

收入水平是就业状况的直接反映。一般来说,体面的工作如医生、律师、教授等,社会地位高,收入也不错,薪金相对稳定。相反,有些工种,工作很辛苦,收入却不高。但芸芸众生,高收入的毕竟是少数。人都要面子,一个人累死累活地干,收入却只能图个全家温饱,就有失面子。比如多年不见的同学或朋友见面,问起收入,除非有人想炫富,会说自己月入八万十万的,更多的人肯定不想告诉别人实情。其实好多人的收入也不容易说清楚,除了显性收入,往往还有其他来源的收入。比如做农民的,自己种的、养的自己消费了,这种收入就很难计算。又比如城里人购买商品房,本来按其收入水平是买不起的,可人家就是买得起,有的还不止一套,你总不能怀疑他有什么不正当收入吧!或许人家是炒房、炒股、理财所得呢?你问他收入如何,他是无论如何也不会告诉你真实情况的。

"怕露富"是中国人的普遍心理,即使坐拥万贯家财,表面上也要装出穷样子来。一怕贼惦记,如果失窃损失就大了;二怕穷亲戚借钱,有去无回;三怕被人嫉妒,引发"红眼病"。如果你问这些人今年收入多少,肯定也问不出所以然来。人家可能会给你一个概数,说今年生意蛮好,或者多收少说,一百万说成二三十万。其实,问人家收入本来就不太礼貌,而且人家钱多钱少与你无关,还是努力把自己的收入搞上去为要。

用过的东西要放回原处

经常会看到有人因为找不到东西而翻箱倒柜,明明记得就在房间里或者办公室里,可就是找不到。其实本人也是如此,临时要穿一件西装,上衣在,裤子却找不到了。要找一本书,清清楚楚记得放在书橱里,却翻来翻去不见踪影,搞得人心里很烦。但怪谁呢?还不是因为自己平时没有养成好习惯。东西用完后,随手一放便走人,几天以后别人帮你把东西收拾了,待到要用的时候再去找,便不知放在什么地方了,又是一次翻箱倒柜。所以用过的东西随即归回原处,真的好处不少。

一是方便高效。放回原处本来就是举手之劳,待到用时马上就能记起,如果在家里,也方便家人使用,省了许多寻找的时间。二是干净整洁。家里也好,办公室也好,东西乱扔乱放,桌子上、茶几上堆得小山似的,给人杂乱邋遢的感觉。反过来说,如果东西摆放有序,衣服在衣柜里,书籍在书柜里,小杂物放在收纳箱里,就给人一种舒心温馨的感觉。三是体现主人严谨精致的生活理念。一般来说,如果一个人平时十分注重整洁,把自己的房间收拾得整整齐齐的,他的条理性就强,工作起来思路清晰、有板有眼,家庭生活也会井井有条。把工作交给这种人去做,一般不用担心会出大的差错。

不说过头话

没有把握的事却夸海口,明明做不到的事却拍胸脯,这就是说过头话。比如搞农业种水稻,常规亩产就是500公斤左右。有人说我的水稻品种好,种植技术好,今年产量保证能达到800公斤,比普通的要高出300公斤。结果,待收割晒干后测产,只有550公斤,牛皮就吹破了。又比如夫妻吵架,妻子对丈夫说:"从此以后小孩子我就不管了,他吃喝拉撒都是你的事了。"做丈夫的继续气她说:"你不管就不管好了。"可没过一会儿,听到孩子的叫声,做妈的便忙不迭地服侍去了,早忘了刚才说过的话。还有就是夫妻有点小矛盾,吵了几句,一方马上搬出两个字——离婚。尽管不会真的离婚,但说这种过头话,绝对伤感情。还有一种过头话也十分伤人,就是诅咒别人家会发生什么坏事。比如邻居之间,富的看不起穷的,骂人家"穷鬼",一辈子不会翻身,生儿子的看不起生女儿的,骂人家断子绝孙,没人继承香火等。

俗话说,宁可吃过头饭,不可说过头话。过头话往往兑现不了,说过头话的人却会给别人夸夸其谈、不诚实、不牢靠的印象;说过头话伤人家的心,会被人认为是尖酸刻薄的人;说过头话也会影响夫妻关系,彼此心里会因此蒙上阴影。所以说话要有分寸、留有余地,宁可十分说九分,不可像倒酒那样倒得满满当当的。满则溢,于人于己都不利。

正规场合不能撸袖子

撸起袖子加油干,说的是做工作、抓发展要全力以赴、开足马力,铆足干劲拼命干。这是激励斗志、鼓舞士气的号召,每一个中国人都应该这样做。但是,在某些场合,撸起袖子却不大合适,有损形象,有悖礼仪。

随着社会文明程度的提高,不少场合如大型会议、庆典活动、会见中外来宾、访问出访,都十分强调礼仪规范,其中着正装是最基本的要求。本来中国男人的正装应该是里面衬衣,外面中山装,更早的时候应该是长袍马褂,现在演变成了衬衣、领带、西服。男衬衣门襟上一般有七颗纽扣,两只袖口各有三颗纽扣(其中两颗并列调节松紧),正式场合这些纽扣都要一颗不落地紧紧扣上,然后系领带、穿西装,加上笔挺的西裤、锃亮的皮鞋,头发要梳理得一丝不乱,整个人看上去十分精神、十分潇洒。但也有人不注意小节,特别是夏天气温高,会客或宴请时,把西服脱了,把领带解了,把领口敞开了。这倒不算特别出格,还有人会把袖口的纽扣打开,撸起袖子,这就

有失身份和礼貌了。

记得有一次组团访问香港,到了香港,参加宴会,香港人受英国绅士做派的影响比较深,赴宴时都打扮得衣冠楚楚。我们随团的一位同志可能没接受过礼仪方面的培训,平时穿着也不大讲究,正装倒是穿了,但是觉得吃饭时可以随便一点,又因香港的天气热,便把西服脱了,衬衣的领口和袖口都解开,而且撸起了袖子,就好像平时在家里一样。看到这种场景,领队就不好意思了,尽管当面没说什么,事后却批评了这位同志,说他不懂礼节、不懂规矩,丢了团组的面子。

正规场合穿着正规,既是对别人的尊重,也是自身素质的体现。在这个大开放、大交流的时代,我们都应当学点国际礼仪,彰显中国人的精神风貌。

黎芗有语

公众场合特别是正规场合不能撸起袖子,不仅是着装礼仪和个人形象问题,更是一个文明问题。一套整洁、高雅又不失时尚的服装会增加职场男女的翩翩风度,给人以信任感。当然,再好的服装也要有文明的举止相匹配。把自己收拾干净,整洁地和朋友见面,并且始终保持彬彬有礼、温文尔雅,是人与人之间基本的尊重。

打喷嚏要捂嘴

每个人都会打喷嚏,尤其是异物进入鼻腔或伤风感冒时,喷嚏会一个接一个地打。打喷嚏是人的一种自然反应,很难自我调节和控制。打喷嚏时,从鼻腔里可一次性喷出十万个唾液飞沫,这些飞沫以每小时145公里的速度在空气中传播。一个人感冒时打喷嚏,感冒病毒随即四处扩散,周围的人很容易吸入这些病毒而被感染。近几年,几乎年年都有流行性感冒发生,其原因除感冒病毒变种多,致病性强外,与人们的生活习惯也有很大关系。如中国人喜欢吃桌菜,一碗菜多人共享,易引起交叉感染;开放式打喷嚏,任由病毒肆意扩散;感冒了也不休息,照样在人群里说话、活动等。所以,为了家人和他人的健康,必须讲究卫生和文明礼貌。

打喷嚏或咳嗽时,应马上别转脸,背向别人,用纸巾捂住口鼻,打完喷嚏将纸巾扔进垃圾桶。如果来不及遮挡,可弯曲手臂,对着胳膊打,以减少病菌的扩散。打喷嚏时用手捂过口鼻的,一定要及时洗手,以免被污染的手接触其他物品将病菌扩散,被别人碰到,引起二次感染。

多数伤风感冒并不致命,但是让人难受、伤害身体。希望每个人都能注意个人卫生,关心公共健康,让人人都不得病、少得病,活得健康快乐。

◈ 黎芗有语 ◈

据我所知,很多国家的文化中都有和喷嚏有关的民间信仰。传统上,我国民间认为打喷嚏是因为被别人想念,《诗经·终风》中有"寤言不寐,愿言则嚏",民间俗语亦有"喷嚏鼻子痒,有人背地想"。西方见人打喷嚏后,则有说"愿主保佑你"的习俗。由来则有两说:一是在公元590年,传染病在欧洲蔓延,此话是为了祈祷打喷嚏者未患病而说的;二是传言打喷嚏是因被魔鬼掐住喉咙而即将死亡,人们为此而祈祷。从现代医学上来说,打喷嚏可能成为呼吸道疾病最有杀伤力的传播工具。所以,在公共场合,出于礼貌和公共卫生,打喷嚏时最好用手帕、面巾纸即时掩口,实在来不及的用手背或胳膊也可以。一个喷嚏,有时候也会牵涉一个人的公德和修养。

不能用手指指人

不少人有一个坏习惯,与人说话喜欢用手指头指着人家,常见的是用食指。吵架时就更不用说了,胳膊伸得老长,食指伸得笔直,气势汹汹地与人对骂。

用食指指人是非常不礼貌的举动。食指又称"剑指",用食指指人含有指责、训斥的意思,我们常说指指点点,用的就是食指。如果吵架时用食指指着人家的鼻子骂,会更加刺激对方,两人吵得也会越来越厉害,无法收场。

除食指外,大拇指一翘可表示赞赏、表扬,但大拇指一般是朝上的,不指人。用中指指人是鄙视、侮辱人,非常不文明。西方人对竖中指极度反感,他们认为竖中指就是竖男性生殖器,是对人的严重侮辱。在足球比赛中,个别球员由于对对方球员或球迷不满,伸出中指进行侮辱,结果招来黄牌警告,甚至红牌驱离,事后还会被足协追加处罚。无名指一般人单独伸不直,也就无从指人了。小手指处在末端,代表渺小、靠后,用小手指指人便含有蔑视、看不起人的意思,所以也不能指人。

量力而行不逞能

"能挑一百不挑八十。"这句话的意思是做事要尽力而为,尽最大的努力把事情干成。但只能挑一百,却要挑一百五十,并不是一件好事,结果可能会适得其反,不仅挑不起来,而且还有可能伤了身子。

偶尔会看到有人为了表现自己的本事,在一片起哄声中,勇敢地挑战身体极限,最后却以失败告终,并造成了或小或大的后果。当年我当农民时,挑担是经常要做的农活,挑土、挑谷箩、挑便桶担,肩胛压得生了老茧。一些年轻人为了显示自己的力气大,有时会比一比谁能挑得起更重的担子。经常挑担的二十几岁的小伙子,一般挑着一百二十斤至一百五十斤的担子可以一口气走上一公里左右。但想逞能,则须大幅度增加重量,一副担子起码要二百斤以上。力气大的挑着这样的担子可以赶上一两百米。力气小的屏着气竭尽全力,才刚刚站直身子,走路便七蹱八跌了。这种大大超过本人承受能力的事情,对身体的伤害很大,有人因此闪了腰,个别的甚

至发生脊椎骨裂,后果严重。

  拼酒也是逞能的一种表现。几个好友聚在一起喝酒,兴起时,小杯换大杯,啤酒换白酒,本来酒量只有半斤,在酒精和起哄声的刺激下,却灌下去一斤甚至两斤,不喝醉才怪。经常可以看到有人酩酊大醉,吐得一塌糊涂;有人胡言乱语,手舞足蹈,又哭又笑,丑态百出;也有人脸孔青白,一言不发,如呆如痴。

  以上这类的逞能尽管对当事人影响较大,但好在只停留在个人层面,对社会危害不大。如果逞能逞在一个地方、一个企业的发展上,后果就严重了。一个企业本来发展得很平稳,每年有百分之十左右的增长,忽然经营者心血来潮,在没有新增长点的情况下,提出要一年翻一番的目标,于是借钱搞扩建、买设备,负了一屁股债,产品却没有市场,好好的企业被折腾得奄奄一息。地方的发展也是如此,如果为政者头脑发热,超越实际可能,大搞政绩工程,搞"大跃进",吹肥皂泡,就会削弱发展后劲,损害人民的利益。所以为政者一定要处理好尽力而为与量力而行的关系,遵循发展规律,千万不要私心作怪,一时头脑发热,做出影响长远发展的傻事来。

后 记

宁波出版社的编辑沈建国先生,由于责编了我的几本反映宁波民俗的书,认为我对民风民俗有研究,建议我写一本关于宁波地区老规矩、老习俗的书,让现在的年轻人了解这些"大规小矩",从而把一些优秀的传统道德文化和民间风俗传承下去。我觉得这是一件十分有益的事情,于是便自我加压,不断回忆过去,询问过来人,收集资料,理出头绪,编出经纬,分门别类,形成文字。

规矩之类的东西口上说说蛮容易,但写起来比较枯燥,需要有实例来充实才会生动起来,所以写得有点辛苦,也曾打退堂鼓,想半途而废,好在众人鼓励,终于坚持下来了。特别是潘一红女士花了很多精力为一些篇章作了点评。何业琦先生根据文章内容画了精美的插图,使本书更加生动。还有一些朋友在繁忙工作之余为我的书稿出谋划策、整理、打印,不再一一列举,在此一并表示由衷的感谢。最希望的是这本书能得到广大读者的喜欢,并使读者在碰到某些场景却不知道如何处理时,得以参考。

作 者

2019年3月